CYWYDDAU CYHOEDDUS 2

Cywyddau Cyhoeddus 2

Gol: Myrddin ap Dafydd

Argraffiad cyntaf: Awst 1996

ⓗ yr awduron/Gwasg Carreg Gwalch

Rhif Llyfr Safonol Rhyngwladol:
0-86381-372-0

Clawr: smala

Lluniau tu mewn: Mei Mac

Argraffwyd a chyhoeddwyd gan Wasg Carreg Gwalch,
Iard yr Orsaf, Llanrwst, LL26 0EH
☎ (01492) 642031

Cynnwys

Cyflwyniad

Mae o'n cŵl, meddan nhw yr ochr draw i'r Clawdd. Mae newyddiadurwyr, beirniaid, darlledwyr ac ysgolheigion i gyd yn gytûn. Sôn am farddoniaeth y maen nhw ac maen nhw'n gorfoleddu bod dadeni yn y byd hwnnw yn Lloegr y dyddiau hyn. Barddoniaeth, meddan nhw, ydi roc-a-rôl y nawdegau ac mae beirdd yn hip.

Mae'n amhosibl i neb beidio â baglu ar draws yr awen yno bellach — yn y tiwb, mewn tafarnau, ar y radio, ar bosteri yn ogystal â darlleniadau cyhoeddus mewn gwyliau celfyddydol, ysgolion, llyfrgelloedd a theatrau. Daeth y *National Poetry Day* yn sefydliad ynddo'i hun, yn benllanw'r brwdfrydedd i rannu barddoniaeth yn llafar. Mae bri ar gyhoeddi cyfrolau newydd gan feirdd newydd ac wrth ymateb i'w delwedd mwy cyhoeddus, daeth beirdd Saesneg yn fwy ymwybodol o'u cynulleidfa wrth arfer eu crefft. Datblygodd barddoniaeth fwy uniongyrchol a hygyrch ei natur. Daeth yn glws i'r glust unwaith eto.

Ac, wrth gwrs, os ydi o'n ddigon da i'r Saeson . . . Ond na, rhoswch — does dim rhaid inni sefyll ar ein traed ôl a begian am 'o bach' gan law nawddoglyd o'r ochr draw i'r Clawdd yn y maes hwn o leiaf. Chollodd barddoniaeth Gymraeg erioed mo'i golwg ar ei chynulleidfa — mi wnaeth y traddodiad cymdeithasol, y Steddfod a grym y canu caeth yn siŵr o hynny. Efallai, yn wir, ei bod yn orymwybodol o'r glust sy'n gwrando ar adegau a bod ambell gonfensiwn wedi mynd i ormod o rigol. Ond trowch at gywyddau'r casgliad hwn a byddwch yn siŵr o synhwyro rhyw ddatblygiadau newydd eto yn tarddu o'r hen gerdd dafod.

Hwyrach bod mwy o siarad a llai o sŵn yn y cywyddau; mae'r mynegiant yn symlach, yn nes at lafar bob dydd, yn nes at ganu pob dydd, ond eto'n cadw'r hud yna wrth droi geiriau'n bethau byw. Maen nhw'n gerddi i'w dilyn ar un gwrandawiad; maen nhw'n ddramatig, wedi camu o'r cysgodion i'r sbotleit ond eto yn canu yn y co' ar ôl eu clywed, gobeithio.

Mae'n anorfod, mae'n siŵr, ein bod yn llygadu cloddiau yng Nghymru. Tros un ohonyn nhw mae 'na hen elyn ond eto mae 'na dir heulog hefyd — cynulleidfa eang, cyfle da a chash, er bod ambell ddraenen bigog i'n nadu rhag croesi weithiau. Mae dadleuon y Clawdd-groesi yn ddiddorol heddiw — cenhadu, ehangu gorwelion, troi crefft yn broffesiwn, codi safonau. Ofn a diffyg haearn rhag derbyn her sydd wedi ein dal yn ôl yn y gorffennol, meddir, a hyder yw'r gair newydd am Horsio a Hengistio.

Un o'r pethau mae rhai cyfryngwyr o Gymru yn fodlon ei ddiosg yn rhwydd yn enw'r Cynnydd hwn y dyddiau hyn yw'r iaith. Mae hi'n niwsans unwaith eto. Hen garpen drist ydi hi i'w lluchio'n ddi-lol oddi ar ysgwyddau'r caethwas er mwyn iddo ymdrwsio'i hun gyda'r toga imperialaidd a'i lordio hi yng ngwisg fenthyg ei feistr! Ar ddiwedd yr ugeinfed ganrif, mae gwaseidd-dra Fictorianaidd yn mygu rebeliaeth ymysg yr ifanc ac yn esgus cyfleus i gorfforaethau ddangos eu gwir liwiau Prydeinllyd. Ei alw'n ddiwylliant dwyieithog eofn gan honni sefyll ysgwydd wrth ysgwydd â'r diwylliant monoglotaidd mwyaf cibddall yn y byd, ond realiti'r 'agor meddyliau' yma yw bod trichant o Gymry Cymraeg yn gwrando ar grŵp 'Cymraeg' mewn bar Cymraeg yn canu tri chwarter eu caneuon yn Saesneg! Mae Catraeth ar dir Cymru bellach.

Ond nid yw hynny'n rhoi esgus i'r gweddill ohonom bendilio, o ran protest, i'r eithaf arall a chau ein hunain mewn cocŵn cynnes cynganeddol Cymreig. Daeth meddwl am bobl eraill o'r tu allan i'r nyth Gymraeg yn hanfod i rai o feirdd Cymru hefyd. Mae darparu cyfieithiadau, cyflwyno a throsi crefft a llais heb golli tinc y gwreiddiol yn bethau y bydd rhaid i fwy a mwy ohonom fod yn ymwybodol ohonynt. Mae croesbeillio yn beth ffrwythlon ac mae rhai o gyfranwyr y gyfrol hon wedi datgan eu deunydd yn Saskatoon, yn y Gelli, yn Philadelphia, yn Iwerddon ac yn Llydaw yn ogystal ag yn y Babell Lên a'r Cŵps.

Yn yr un modd, bydd cyfle i ninnau yn ein tro groesawu beirdd eraill i ddod â'u miwsig a'u mesurau atom, i rannu eu curiadau a'u cariadon gyda ninnau. Mewn sesiynau, mewn steddfodau, bydd gorwelion yn agor a moroedd yn cau a mwy nag un iaith ar waith gyda'i gilydd ac ni fydd yr angen am fod yn ymosodol, amddiffynnol weithiau, yn ein hatal rhag bod yn eangfrydig a chydwladol yn ogystal. Wedi'r cyfan, rydym yn perthyn i un o leiafrifoedd mwyaf lluosog y byd, sef un o'r gwledydd bychain a gafodd ei choloneiddio ond a fynnodd barhad iddi ei hun.

Mae gennym rhwng y cloriau hyn leisiau hyderus a hudolus gyda thalent at drin iaith, gan ddatblygu perthynas glòs rhwng geiriau a'i gilydd. Mae yma hefyd gyfathrebwyr sydd wedi meithrin y dalent o berfformio eu gwaith o flaen cynulleidfaoedd amrywiol. Gwrandewch arnyn nhw — mae yna hiwmor a harddwch, sicrwydd a cholled, angerdd ac afiaith. Byddai cynulleidfa na chlywodd erioed air o Gymraeg yn medru ymateb i hynny ac ymateb i'r fydryddiaeth a'i miwsig.

Diddorol fydd gweld sut y bydd y crefftwyr hyn yn datblygu'r berthynas rhwng ieithoedd a'i gilydd yn y dyfodol wrth chwilio am dir newydd i'w droi. Mae her mewn geiriau a sialens mewn iaith a chwffio yn erbyn y camddefnydd ohonynt yw braint beirdd ledled y byd. Pa ryddid newydd, pa gaethiwed newydd fydd ei angen yfory?

Myrddin ap Dafydd
Mehefin 1996

9

'Cywyddau Cyhoeddus'

Yn nhŷ glân y gynghanedd
real yobs a ddaeth i'r wledd:
beirdd iau ar y byrddau hen,
criw *takeaway* yr Awen.
Hwy ddenim ein barddoniaeth,
caniau *coke* y canu caeth;
hwy hyder mewn lleder llên,
carioci yr acen.
Y bois cŵl, y bois caled
yn strytio crefft eu strît crèd
yw'r gang sy'n rapio ar goedd
i drawiadau y strydoedd.
Ie, to'r disgo troedysgawn
sy'n dod ar y sîn â'u dawns
ar eiriau'n chwil, cyn troi'n chwys
yn y rêf ar y wefus,
a dyrnu nodau hwyrnos,
dyrnu'n wyllt gwpledi'r nos.
Wrth y bar mae'r adar iau
yn credu mewn curiadau;
yn nhafarn canu cyfoes
ymroi i'r bît y mae'r bois:
reggae iaith yw drymiau'r *gig*,
emosiwn yw eu miwsig.
Cânt fwynhau *high* yr Awen
a magu llais ym mwg llên:
joio smocio *joints home-made*
a *rollies* Tudur Aled,
neu rannu Ab yr Ynad,
rhannu ei gur yn y gwâd;
eto'n frwd tanio'n y fron
Ap Gwilym, dôp y galon.
Drwy'r oriau mân fe ganant
gywydd 'rôl cywydd tra cânt
seiniau yr ias yn yr êl,
tôn a bît yn y botel.
Stiwdents ar asid ydynt,
babanod Cerdd Dafod ŷnt.

Yn eu crud mewn cywair iau
canant yn eu cewynnau
hen wae ar donau newydd,
miri doe i rythmau'r dydd;
troi'r glec sydd yng Nghuto'r Glyn
yn idiom gyfoes wedyn.
Mae'r oesau yn ymryson
heno'n hwyl y dafarn hon,
a'r ifanc a'r canrifoedd
yn un flwyddyn, yn un floedd
oedd ddoe'n fil oed, heddiw'n flwydd,
yn ddiwygiad ar ddigwydd;
a sêr yr oes glasurol
wedi altro, eto'n ôl.
'Run yw'r creu yn roc-a-rôl,
mae'r ias yr un mor oesol.

Ceri Wyn Jones

Y loteri genedlaethol

Yn unig a gweddigar
daw â'i rhif allan o'r drâr,
a chau am y gwrthrych hwn
fysedd ei holl ddefosiwn.
Am eiliad bob nos Sadwrn
mae'n dal dyfodol mewn dwrn,
a mil o freuddwydion mân
yw ei chyfoeth, ei chyfan;
a'r hen bapur yn bopeth,
un darn o'i drâr arni'n dreth . . .

aros oes yw'r aros hwn
am eiliad deunaw miliwn . . .

Un eiliad o addoli
uwch sgrîn ei chysegr hi:
ei phennod a'i hadnod yw,
ei chredo a'i châr ydyw.

Un eiliad o dawelwch . . .

cyn eto lluchio i'r llwch
y rhifau fu'n ffaglau ffydd,
y chwe rhif a fu'i chrefydd.

Ceri Wyn Jones

Anrhydedd

(I'r plentyn cyntaf i'w eni wedi cadoediad yr IRA)

Ni wyddost, blentyn eiddil,
am yr hollt ym mur yr hil.
Ni renni gof yr hen gur,
        ideoleg y dolur;
na'r ffeit yn ein graffiti,
yng ngweddïau'n harfau ni.
Nid ofni di yn dy wên
    seicoleg Enniskillen,
a'i dau gymun digymod,
â'r un bedd yn rhan o'u bod.
Wyt deg am na welaist di
gywilydd — ond fe'i gweli.

Ceri Wyn Jones

Mynydd

Mi welaf gysgod milwr
hwyr y dydd ar waedliw'r dŵr:
y Golân sy'n gwarchod gwlad,
rhodd Duw a phridd dyhead.
Ei addewid, Iddewiaeth,
a'i gof yw pob canrif gaeth;
caeau'r gwaed fu'r creigiau hyn,
briwiau rhyddid ar briddyn.

Ond i hwn sy'n troi'r hen dir,
nid ei ymladd a deimlir:
fe ŵyr efe a'i arad
werth ei glai, nid aberth gwlad;
nid clwyfau, ond erwau'r âr,
nid dyhead, ond daear.

Ceri Wyn Jones

Gweddi'r llwfr

Iôr ein Duw a wrandewi
ar weddïau'n hofnau ni?
Ar y waedd sy'n llwfrhau,
ar bob gair heb gyhyrau
na stumog i arfogi
un her o'n cydwybod ni?
A glywi o'r weddi rwydd
nad yw stŵr ond distawrwydd?

Cawn encil mewn cywilydd
am inni gyhoeddi'n gudd
eiriau'r gwir heb brofi'r gwawd,
yn fyddin o gyfaddawd.
Rhedyn y frwydr ydym,
yn y graith 'mond geiriau ŷm;
yn ddewr lle na byddo her,
yn frwd yn ein difrawder.

Rho fodd i ni ddioddef
y boen a adnabu Ef,
a mynd lle bo'r gwyntoedd main
yn ein hoeri a'n harwain
lle bo cur nid seguryd,
lle bo'r clais nid llwybrau clyd;
lle bo'r gell a'i bariau gwan
yn glöedig o lydan.

Fe ŵyr y lili wen fach
wirionedd y gyfrinach:
hi yw'r haf mewn gaeafwynt,
hi'r gwan sy'n gostegu'r gwynt.
Dyro in ei dewrder hi,
a'i chyfrinach frau inni:
a wêl wlith y lili wen,
a wêl ddur, a wêl dderwen.

Ceri Wyn Jones

eisoes cyn ei einioes

Mab y saer

Mae'n anwylo min hoelion
yn y llwch gan syllu'n llon:
amyneddgar-eiddgar yw,
stiwdent i'w lysdad ydyw.
Er y dolur i'r dwylaw
y llanc fynn gynnig help llaw
yn y grefft, ac mae'n garwhau
drwy estyn pâr o drawstiau
eisoes wedi'u morteisio,
eisoes cyn ei einioes O.
A'i Dad drwy'r pren a adwaen
waed y groes yng ngwrid y graen.

Ceri Wyn Jones

Twyll

Yn nhref Siracusa yn Sisil, mae cerflun o'r Forwyn Fair; cerflun sy'n ymddangos i wylo'n ysbeidiol, ac sy'n gyrchfan pererinion o'r herwydd. Yn ddiweddar, wrth arbrofi ar gopi o'r cerflun, darganfuwyd taw "capillary attraction" sy'n gyfrifol am wyrth honedig y *"Weeping Madonna"*.

" . . . if barely perceptible scratches are made in the glazing over the eyes, droplets of water appear as if by divine intervention — rather than by capillary attraction, the movement of water through sponge-like material." (Steve Connor, Gohebydd Gwyddoniaeth *'The Independent on Sunday'*, Gorffennaf yr Ail, 1995).

Drwy ddagrau fy amau i,
drwy lygaid yr halogi,
gwelaf orwel o gelwydd
heno'n staen rhwng nos a dydd;
a gwawrio'r hwyr fel hen graith
ddulas yn rhythu eilwaith
uwch Siracusa'n cysur,
uwch Siracusa ein cur.

Heno ar draethell unig
â chwa'r môr yn chwarae mig,
ewyn y bae yw ein bod
a lli'n deall yn dywod.
Tra bo tonnau amheuaeth
yn torri hollt yn y traeth,
onid rhith yw'r tir ei hun,
a'i hen greigiau yn gregyn?

Cofiaf ddoe, cofiaf ddeall —
y ddoe hawdd pan oeddwn ddall:
mor glir â miragl oedd,
credo mor sicr ydoedd.
Gwelwn farmor o forwyn,
maen o fam a honno'n fwyn
wedi'i mowldio'n dirion deg
efo gwyryf o garreg.

Tra bo gwae trwy bob gewyn
yn nelw Duw o law dyn,
craig i fyw nid carreg fedd
yw ei graen llawn gwirionedd.

Hi yw pader pererin,
hi'r gwaed a'r bara a'r gwin;
deigryn hon yw'n dagrau ni,
a'i gewynnau yw'n geni.

I burdeb y labordy
aed â hon ryw fore du.
Rhoed crefftwaith mor berffaith-bur
yn Dduwdod dan chwyddwydyr.
Gwyryf ar sgrîn yn gorwedd
a gwawd yn archwilio'i gwedd:
dinoethi'i hud a wnaeth o,
a, thrwy reswm, ei threisio.

Gwelodd gragen o fenyw'n
hidlo dŵr, nid wylo Duw:
o ffiol rhyw ganol gau
dôi euogrwydd ei dagrau.
Lle bu'r plastar llawn cariad,
lle bu'r wyrth a'i holl barhad,
gwelais gerflun o gelwydd:
Mair Sisil yn ffosil ffydd.

Gwelaf wrth i'r graig gilio
ryw staen o Grist yn y gro,
a'i rith yn treiglo i'r traeth
ar donnau anghrediniaeth:
hen, hen graig yn garegos,
darnau hollt ar ewyn nos;
a'r bae mor dawel â'r bedd
yn graeanu gwirionedd.

Ar draethau Sisil chwiliaf,
eto wrth chwilio ni chaf
y greal aur ger y lan,
na Mair yn hesg y marian.
Ond caf, ym mroc teid cyfoes,
hen gragen wag ar gei'n hoes,
ac ynddi hi, Dduw ei hun,
y Duwdod yn dywodyn . . .

Ceri Wyn Jones

Paradwys

O boen sobreiddiol y byd
hyd angof rwy'n dihengyd
    a godro fesul gwydryn
    gasgen yr awen ei hun.
Yn y bar mae'r byd mor bell
â ninnau'n trafod llinell;
    yn sawru'r hen fesurau,
    sawru cerdd tan amser cau.
Er hyn oll, rhaid troi o'n nef
wedi'r mwydro, am adref;
    o feddwi ar gelfyddyd,
    i'r un hen boen, i'r un byd.

Ceri Wyn Jones

Ffreutur

*Ar achlysur ymweliad y Frenhines â'r Llyfrgell Genedlaethol,
pan benderfynodd awdurdodau'r Llyfrgell nad oedd cogydd y Llyfrgell na'r
ffreutur arferol ddigon da ar ei chyfer. Donald yw cogydd y Llyfrgell.*

Mae 'na gŵyn ac mae 'na gur
yn ffrwtian yn ein ffreutur,
Donald yn rhincian dannedd
ni chaiff o arlwyo'r wledd —
yr un sosej na swejan,
berwi'r un ŵy, bara nân,
dim toblyrôn, na brôn, na *brie*
na rwdan i'w Mawrhydi,
dim jeli na chyri chwaith;
hen gywyddau'i gogyddwaith.
A Donald, gogydd dawnus,
a gŵr hoff yn rhwygo'i grys.
Ond mae angen amgenach
byrddau, ni wna'n byrddau bach
y tro 'ntôl, rhaid nôl rhai *new*,
ar fy enaid, i'r fenyw.
Fe roir cig i'r bwysigwraig
yna'i roi i'r byd a'i wraig,
ceir llwnc-destun dymunol,
geiriau heirdd am bygar ôl,
tra bod llyfrau cau ein co'
a chwaneg dan lwch yno.

Dafydd John Pritchard

Palmant

Y mae lampau nwydau'r nos
yn hel atynt stiletos,
a llond heol o golur;
reiat o binc. Sgertiau byr
yn haglo ar stryd fyglyd,
lle daw hithau'n goesau i gyd,
sgidiau coch yng nghysgod car,
yn wallgo' orgyfeillgar,
a swn sodlau'i chamau chwil
yn anghenus anghynnil.
Yn fudan ei gofidiau,
eirias y gwaed. Drws ar gau.

Gyda'i brae mae'n gwau drwy'r gwyll,
tawel yw'r strydoedd tywyll.
Pallodd golau nwydau'r nos,
tawel eto'r stiletos,
mor dawel ei dychwelyd
ac mae hithau'n goesau i gyd.

Dafydd John Pritchard

Hi

Hi fy nhrysor, hi'r orau,
    hi a wna im lawenhau;
a hi yw'r digri a'r dwys,
    hi ydyw fy mharadwys.
    Hi yw alaw fy awen,
nid yw'n oer er 'bod hi'n hen.

    Mi a roes iddi groeso,
    a hithau'r un yn ei thro;
hi yw'r heulwen uwchben byd
    o helynt, hi yw 'ngolud.
    Fe'i huliais ar fy aelwyd,
hi yw y maeth sy'n fy mwyd.

Aeth hon drwy'r holl wythiennau,
    hi yw y gwaed sydd yn gwau
    ac yn cynnal y galon;
mae rhyw ias yn mynd drwy 'mron
    oherwydd bod grym geiriau
    yn asio'n dwylo ni'n dau.

    Yn ei chwmni hi mae'r haf
    yn hir, a chilio'n araf
fel siwrnai'r trai ar y traeth
wna heulwen fy modolaeth.
    Yn gyson, fy modloni
a wnaeth hon, fy iaith yw hi.

Dai Rees Davies

I gyfarch Tudur Dylan

Bu, yn heulwen eleni'n
dod i'th gadeirio di
dy weled, Dudur Dylan,
yn agor cof am greu cân
ar gaeau ŷd a gwair gynt
yn awel y deheuwynt.

Wyt o egin dy linach,
crych dy ben fel Ceirch Du Bach
yn agor eto'i lygad
o'i stôr i arlwyo'r wlad.

Eginai yntau'n gynnar
â chnwd trwch yn y tir âr,
ei fôn yn cadeirio'n dew
a'i wedd mor las â'r eiddew,
a dôi'n aeddfed ei hedyn
yntau'n yr ha'n gynt na'r un.

Safai ef ar ei goes fer
a honno'n frig i'w hanner,
yn y gwynt a'r glaw i gyd,
a safai'n y tes hefyd.

Ei bridd oedd y broydd hyn,
ein pridd oedd piau'i wreiddyn,
ac yn ei rawn gynnau'r oedd
egni'r haf dros ganrifoedd.

Ni fynnai ef gael dwfn wâl
y *Fison's* artiffisial,
nid ydoedd i'w faldodi
na'i gymell â'ch chwistrell chi.

O dir y graig dôi â'r grawn,
gnwd di-rwysg ein tir ysgawn
heblaw am gyfeiriau blith
gweunydd yr haidd a'r gwenith.
Ireiddiai'u pridd, roedd parhau
yn ei hen, hen enynnau.

Ar ddyfod diwrnod dyrnu
ceirch di-ail oedd y Ceirch Du,
dôi i mewn fel teid y môr
i gwbwl lenwi'r sgubor.

Roedd nodd a rhuddin iddo —
hyd yn oed i'w welltyn o,
amheuthun o'i falu'n fân
i anifail, neu'n gyfan.
Roedd rhyw rinwedd rhyfeddol
yn ei wisg a wnâi ei ôl
ar geffyl siew a blewyn
bustach a lloi bach bob un.

Ddylan, wyt wyneb mebyd,
a'm cof am y caeau ŷd.
Rwyt tithau fel hwythau'n wych,
had o frid y fro ydych,
a byw, fel y Ceirch Du Bach,
i mi a fyddi mwyach.

Dic Jones

Parch i'r Arch

Fel arfer mae Archdderwydd o oed sant cyn dod i'w swydd. Rhyw Abraham ar barêd, a'i osgordd bron cyn llesged ag ef yn llusgo o'i ôl. Dyna yn gyffredinol yw barn y werin arno ef erioed, boed fel y bo.

Am yr Orsedd — rhyfeddod yw'n y fath oes â hon fod cenedl sy'n honni cynnydd yn fodlon ar safon sydd yn rhyw gyntefig ddigon, yn barhad paganaidd bron. Mewn oes sy'n medru croesi'r gofod â'i holl wybod hi ac ar fin cael cyfrinach hyna'r byd o'i fore bach, onid yw'n od ein bod ni'n dileitio mewn dal ati i heigio'n dyrfa ogylch neolithig gerrig cylch, o hyd yn dal yn bleidiol i ryw Gymreig rigmarôl? 'Waeth ni all prin rithyn o sail fod i nonsens Iolo.

Ond mae hen nâd am wn i, ynom am seremoni. Rhyw goel fod y regalia yn gwneud gwell dyn o'r dyn da. Rhan dyn yw rhyw newyn dall — newyn am yr anneall. Erioed bu'n hoff o'r proffwyd ddaw â lliw i'w ddyddiau llwyd, iddo mae'n fodd i addef rhyw raid sy'n ei enaid ef. Ac wrth gwrs mae gwerth gorsedd i'n denu i gyd yn ei gwedd.

Y mae'n wir fod ei mwynhad yn lliwgar iawn i'r llygad, a hynny yn denu'r dorf yn yr haul draw i wylio'r fintai yn ei 'lifrai las' a gwyrddion glogau'i hurddas. Maent yn werth cymaint â neb i wellhad y gyllideb. Ac mae'r wasg a'r camerâu a doethion radio hwythau'n cael twysg o rwysg yr osgordd. A dylai ffair dalu'i ffordd.

Pa well dewisiad, felly, i'r hen swydd na rhywun sy' yn ŵr hyddysg, amryddawn, yn gall, ffotogenig iawn, sy'n ddiplomat â'i ateb, nad yw'n ail yn dod i neb sy' byw heddiw mewn hiwmor? Un y mae'i iaith fel y môr (a da cael dyn, am un waith, Dyfedol ei dafodiaith!) Un ifanc — yn ôl safon y dorf dryfrith, henfrith hon beth bynnag — byth a beunydd sy'n dod i felysu'n dydd ar donnau radio'r bore, yn rhannu gras â barn gre. Mae 'na wers ym min ei wit a neges i'w finiogwit, ac mae'i bregeth yn beth byw — ordinhad o'r dyn ydyw.

Fe fydd capel Llanelwedd yn ha' mis Awst heb ddim sedd yn wag na lle i ragor yno gael dod drwy gil dôr. Bydd y Parch. a'r Arch. yr un, yn aml ar feysydd Emlyn fel yr âi gynt hogyn teg, yr un sydd â'r ddwyfroneg heddiw'n ei anrhydeddu. Ac yntau hithau 'mhob tŷ.

Dic Jones

Diolch a gofyn i'r Prifardd Idris Reynolds

Eto dyfod ar d'ofyn heibio'r wyf, Brifardd y Bryn. Wyt, gyfaill, yn llatai
llên, hebryngwr lle bo'r angen y gemau gwiw (am eu gwerth) yn fore i swyddfa
Iorwerth. Go wael f'ai ar y golofn hebot ti, mae arna' i ofn.

Â dedlein nid oes dadlau, buan iawn fe ddaw'n Ddydd Iau a desg y bòs yn
disgwyl ei brint, waeth sut y bo'r hwyl. Esgus ni thâl na llesgedd ysbryd — dim
byd llai na bedd.

Ei di, wrth fynd i dy waith, ato â hwn eto unwaith? Beth yn well i lyfrgellydd
na dwyn campweithiau y dydd i olwg cyhoedd Gwalia? Ba waith yn uwch byth
a wna?

Y post, ti wyddost, a aeth yn ddrud, ddiymddiriedaeth. Drud a hefyd diofal
o ddi-ddim, hollol ddi-ddal. 'Tawn i'n mentro postio'r peth, o drwbwl medrai
rhywbeth, ddyn, ddigwydd yn hawdd ddigon — am sawl bwnglerwaith mae
sôn. Gallent yn burion golli pecyn fy rhugl erthygl i! O, siŵr, mae nhw'n
yswirio pe mynnid, ond bid fel y bo, hyd yn oed wedyn ni all 'swiriant greu
enfys arall.

Dwed eu bòs bod dau ddosbarth yn wych, ond i mi mae'n warth. Cowntiant
fod y post cynta i ddod mewn deuddydd — Ha! Ha! A'r ail mewn rhywbeth
bach dros — beth yw hynny — pythewnos. Mae'n amheus a âi mewn mis fy
nhrafferth 'fewn i'r offis. Heb os, byddai Nico bach na phostio'n dipyn
ffastach. A pheth arall, ni all neb Cardi o un cywirdeb ddim mynd i brynu
undim a modd haws ei gael am ddim! A phrin (os caf fi sisial) pris stamp ydyw
pres y tâl. (Os byddar post y taro, clywed rhyw bared lle bo!)

Idris, rwy'n addef hefyd, i'r sgwâr, ac yn frys i gyd imi ddod heibio'n amal a
thi ac Elsie'n eich gwâl, a rhoi'n y man ym Mryn-môr yn y drws amlen drysor
o'm bodd a heb wahoddiad nac un tyst o'th ganiatâd. Ond rhywfodd bob tro
hefyd yr aeth i Lambed mewn pryd.

Gyfaill, rwy'n mentro gofyn — gwn fy mod yn gnaf am hyn — it fynd a hwn
eto o fan d'aelwyd i offis Dylan. Ti, o bawb, a wyddost beth heddiw sy'n
gwneud llenyddi'eth.

Â'r iaith gwna weithred o ras, ac â minnau gymwynas, ac fel ym
Mhantycelyn y molai'i hoes Mali'i hun, neu Ruth y ddigymar Ann yn uwch yn
Nolwar Fechan, bydd gwŷr llên yn dy henaint yn dy fawrhau — am dy fraint!

Dic Jones

Hi

(Rachel Thomas)

Yr oedd rhyw awra iddi —
rhyw awyrgylch o'i chylch hi
bron iawn fel 'tae brenhines
yn y rŵm. Gadawai wres
ei mwyn bersona mamol,
haul Mai lle'r elai o'i hôl.

Uwch gwrid ei boch garedig
merch a mam yn chwarae mig
yn eigion glas ei llygad,
anwesai hwyl a dwysâd
dan ddwy bleth o lywethau
brithion fel coron yn cau
am ei phen. Roedd acenion
Cwm Tawe a'r De yn don
o fiwsig ar wefusau
â llwyfan oes wedi'u llyfnhau.

Roedd yn hardd yn ei urddas
ei threm gan wyleidd-dra'i thras.
Tegwch gwir a hir barhâ,
oed ni all ond ei wella.

Oedd dduwies crefft y ddwy sgrîn
a'i chwarae'n ddrych o werin
mewn trahauster, mewn tristyd —
pob mŵd drwy'r gamwt i gyd.

Ddaw neb yn batsh ar Rachel,
rhewer y ffrâm dro, ffarwél.

Dic Jones

Mae arian Wncwl Morris

Ysgogwyd gan driban Arwel Jones:

Mae arian Wncwl Morris,
Ei licwid asets, megis,
Yn erbyn wal am un ar ddeg
Yn rhedeg mas trwy'i gopis.

Mae arian Wncwl Morris
yn mynd yn brinnach bob mis.
Y mae un fferm yn y ffos —
aeth honno ers pythewnos
i'r *Star o' Wales* ac yn strêt
i'r til a ma's drwy'r toilet,
a Morris mewn ffarm arall
yn brysur yn llyncu'r llall.
Iddo'n siŵr mae priddyn sych
a fynn ei watro'n fynych.

Aeth Cae Dan Clos mewn noson
i far y *Wheit*, a Chae'r Fron,
Cae Llidiart a Pharc Cartws
'run fel mewn yffarn o fŵs,
rywsut fe aeth ei drysor
drwy gopis Morris i'r môr.

Ac y mae'n dal i alw
bob hyn a hyn, medde nhw,
yn nhŷ rhyw Anne sydd ers tro
yn orwresog ei chroeso.
Y siort sy'n cael, meddai'r sôn,
ei ffeinans o Gae'r Ffynnon!
Rhwng honno, efô a'i fêts,
isel yw'r licwid asets.

O'r annwyl, ac roedd rheini
ryw ddiwrnod i fod i fi
yn siŵr, yn ôl y siarad,
y residìw a'r ystâd.
Ond rwy'n gweld y rheini i gyd
yn chwalu'n ddiddychwelyd
gan sibrwd yn ffrwd o ffroth
heibio bob bore Saboth.

Och o'i gownt, mae'n goch i gyd,
a'i fanc am gau ei fencyd,
ac felly does dim byd, sbo,
i minnau ond dymuno,
yn neinti y bydd yntau
Morris a'i gopis ar gau.

Dic Jones

Teulu bach Nant-oer

Gyda diolch i'r Cardi *am ganiatâd i'w ailgyhoeddi.*

Fel rheol cyn Nadolig
yn Nhir-y-go' mae ffair gig,
ac eleni iddi aeth
y crîm o'n cewri amaeth
mewn bws dros y ffamws ffin,
a'i fyrddio yng Nghaerfyrddin.

Roedd Oernant y bardd arno,
ei hawddgar gymar ac o
yn cael blas dinas eu dau
gyda'r adar am dridiau.
Pawb yn llwythog ei logell
o'r glaw mawr i gilio 'mhell.

Yr oedd y wibdaith drwyddi
yn hwylus iawn, glywais i —
rhai'n y Sioe, rhai yn Soho,
waeth i bawb y peth y bo.
I un, hotel a llond tanc
yw sioe, a llances ieuanc.
I arall, y cre'duried,
diwrnod yn trafod y trêd
yw y norm i bob ffarmwr
serch achwyn ei gŵyn, wrth gwrs.

Yna awr fach yn Harrods,
y Sŵ, a Madame Tussauds
cyn troi adre'n hamddenol
dros agen Hafren yn ôl.

Ond, tra bu'r criw yn Llundain,
yn y De bu glaw ar 'diain.
Un gawod tri diwrnod oedd,
hyd y wlad dilyw ydoedd.
Oerddwr dros bont Caerfyrddin
a'r hewl fel Ynys Marine.
Lle i siarc y 'car-park' oedd,
i gyd o'r golwg ydoedd.

Arno roedd car yr Oernant —
fu'n claearu tra bu bant —
fel Arch Noa'n ei ganol
a'r Tywi fawr at ei fol,
yno wedi'i ddocio'n dda
yn dynn wrth gwch sgadana.

Ei ddreifiwr ef oedd ar frys
a bu rhaid torchi'r britys,
gwthio i'r dwfn er gwaetha'r don,
hynny a wnaeth yn union,
a hithau'r sbectol weithian
yn berisgôp ar ei sgan,
tra Mary'n syn ar dir sych
ar wrhydri'n hir edrych.

Cyrraedd y car ac aros
tra pawb yn astudio'r pos.
Yr egsost a dŵr drosti
a'r sêt siŵr iawn yn llawn lli.
Ond yn hwb ym mhob trwbwl
cewch gynghorion doethion dwl,
un gŵr yn annog 'Aros'
a rhyw fwbach doethach, 'Dos'.

Un tro llawn o'r batri llaith
a bu rhu'n ei beirianwaith,
haleliwia, dyma dân
yn gollwng y mwg allan
i'w glywed fel Goleiath
yn nelu bom wrth gael bath.

Er hynny, adre'n groeniach
eto aeth 'rhen Beugeot bach
a deuddyn teulu Nant-oer
o ddôs eu bedydd iasoer
a dim ond tinau'n domen,
yn ôl i faes eu celf hen.
A'r hen gar wrth yr un gwaith,
yn hanner glân, am unwaith.

Dic Jones

Ateb i Dic

Gyda diolch i'r Cardi *am ganiatâd i'w ailgyhoeddi.*

Rwy'n dotio ar Beugeot bach,
rhyw gar nad oes rhagorach
mewn hen fro. Y mae yn fraint
i'w yrru drwy lifeiriant
y Tywi ym mhob tywydd.
Wrth fy ngwaith ar daith bob dydd
hen un glew yw'r cerbyd glân
un holliach mewn ac allan.

Yn rhyfedd, yn ddiweddar
yn y cei rwy'n golchi'r car;
i aros 'r af am orie
yn nŵr rhad yr N.R.A.
Trwy hyn mae cael golchi'r tra'd
yn yr afon yn brofiad.

Ba les ydyw creu rhyw splash
a gyrru'r car drwy 'gar wash',
ac amhurdeb y sebon
yn dymchwel sêl yr osôn?
Pa lwydd sydd i ddwster plu
cyn cychwyn codi'r cachu.
Sham byddai rhwbio chamois
a cŵyr neis dros ein car ni.

O diawl! Be wnâi *Uno* Dic
yn anterth yr Atlantic,
a'r dŵr berw hyd ei beiriant
nid âi byth o'r dyfrllyd bant.
Y gwir yw âi'n dalp o sgrap
yn union wedi'r anhap,
yna boddi wnâi'r Ffiat
yn y fflyds a'i fatri'n fflat.

Â'r prifardd a'r wep ryfedd
mewn canŵ yn welw'i wedd,
ei bîb mwyach heb ddiben
yn ei geg rhwng trwyn a gên
a'r tun a'i becyn baco
drwy'r dŵr oer yn mynd ar dro,
does un trysor rhagorach
yn y byd na Pheugeot bach.

Emyr Oernant

T. Llew Jones yn bedwar ugain

Heno dewch i wledd wyth deg
y gwrw o Bontgarreg.
Gwisgwch sidan amdanoch
rhowch ar led y carped coch.
Rhowch i hwn eich gorau chwi'n
anrhydedd i'w fawrhydi.

Torrwch wanc 'r ifanc brifardd
â holl lysiau gorau gardd
ac i gael haeddiannol gig
gwaedwch y llo pasgedig.
Am hyn dewch yn gwmni da
i'w lwyddiant mynnwch wledda.

Dewch â'r medd mwyaf meddwol
llawen fydd 'r ôl llenwi'i fol,
bwytwch bryd i'w iechyd o,
a hwn sy'n talu heno.

Emyr Oernant

Y saer

Rwy', Syr, yn un o'r seiri
fe ddaw rhain i'm harwain i
law yn llaw â mawrion llys
hyd urdd y ffyrdd cyfforddus
priffordd ffafr nid llwybr afrwydd
yn awr sydd wrth chwilio'r swydd,
irant fy mhen bob ennyd
i'm rhyddhau o bwysau'r byd.
Rhannaf o lestri uniawn
ei lodj! Fy ffedog sydd lawn
ei ffau fydd fy mhreswyl ffôl
yn noethgoes yn oes oesol.

Emyr Oernant

Gorchwyl

Daeth grwndi'r lori i'r lôn
a heidiodd ei chaethgludion
drwy fy iet unwaith eto
i'w troi i'r howld yn eu tro.
Yno roedd y lori hon
i waredu yr eidion,
yr eidion a ddedfrydwyd
gan bawb am halogi'n bwyd.
Ond gwn mai y farchnad gig
a'i lloi arian sy'n lloerig
nid y brid a weli di
yn aros yn y lori.
Gwerth dim a fydd gwerth y da
ym mynwent ein hwsmona
a'u holl iawndal yn Llundain
yn rhad am fywydau'r rhain:
mwy na gyrr sydd yma'n gaeth —
mi weli fy mywoliaeth.

Emyr Davies

lager

Budweiser   Budweiser

llond ei

lygaid

Trafferth 'rôl tafarn

Brau ydyw'r bore wedyn
a ddwg ei sobrwydd i ddyn.
Daw'r wawr drwy ei ffenestr ef
â'r dydd i watwar dioddef,
ac adar i'w fyddaru
â'u cân tu allan i'r tŷ,
hwythau oll yn dweud na thâl
y diota diatal.
Yn y gwaed daw'r noson gynt
yn ei hôl i greu helynt
gan arfogi gwythïen
i fedru bwyellu'i ben;
ei ddyheu am joch o ddŵr
yn waeth na syched neithiwr
a'i fol sy'n gwrthryfela
yn ddi-hid o'r noson dda.
Ym môn y corff, miniocáu
wna cerydd y cyhyrau.
I'w gof yna fe gyfyd
'ratgofion geirwon i gyd
am hynny wnaeth ym min nos
drannoeth ei hyder unnos:
yfed yr oriau ofer
fesul peint anfoesol, pêr,
a diléit y Findalŵ
yn goron ar ei gwrw.
Hen gyri anhrugarog
nawr a bair ei ruthr i'r bog;
dwy och, ac ar eiliad wan
daw arogl wedi'r daran,
diarïa direol
diddiwedd o berfedd bol;
difera'i edifeirwch —
dagrau fel drewdodau'n drwch.
'Nôl yr aiff i'w wâl o raid
â lager lond ei lygaid.

I Dduw'r archa faddeuant
pan fydd mor sobor â sant
'rôl ail-fyw yr hwyl a fu
a'i g'wilydd yn gywely.
Ar ei hyd, mor frau ydyw
a dros dro, dirwestwr yw.

Emyr Davies

I Ceri Waters

a anafwyd mewn gêm rygbi.

Ddoe yn ddyn mor wddyn oedd
yn grymuso 'sgarmesoedd;
un darn o'r cydgadernid
a hyrddiai'i hun mor ddi-hid
wrth chwarae ar gae i'r gad.
Yn nhawelwch un eiliad
rhwygwyd ei un ar hugain
a'r llanc a hyrddiwyd i'r llain,
ei fyd disymud yn sarn
a'i wddw oedd yn ddeuddarn.

Ymadfer fesul modfedd
wnaeth adfer hyder i'w wedd
a bu i reddf rhyw obaith brau
wthio'i hun i'w wythiennau —
ei esgyrn yn ailddysgu
cyfran o fachan a fu.

Ond er rhoi ei gadair o
yn gadwynog odano,
aros y mae'i gymeriad
drwy anaf gwaethaf y gad:
Ynddo'i hun, mor gawraidd yw
ag erioed — 'run gŵr ydyw.

Emyr Davies

Bosnia

Ni wyddom am ddioddef;
ni all llun ailyngan llef
na dal rhan o'i dolur hi,
unrhyw ran o'i thrueni.

Ni wyddom am hil-laddiad
na'r gwir am chwerwder y gad
pan dry'n elyn un a oedd
yn gymydog am hydoedd;
ac yno'n sŵn y gynnau
y mae'r wasg a'r camerâu,
i ni dan ein gofid gwâr
eu gwylio yn eu galar.

Ni wyddom ddarnio heddwch,
darnio lle a'i droi yn llwch;
yno mae drwy'r strydoedd mud
anhunedd ym mhob munud,
a synau arf casineb
yw synau'r nos yn nhir neb.

Nawr o'n cof yn angof aeth
meirwon ein hanymyrraeth,
a hanes eu trueni
mwy yn nos na wyddom ni.

Emyr Davies

Sacs

Un diwrnod fel Sadyrnau
hen-ffasiwn pan oeddwn iau,
â'r haul yn serio'r hewlydd,
yn gyrru'i dân drwy Gaerdydd,
a hi'n brynhawn berw'n hwyr,
seiniodd ar gyrion synnwyr
alaw sacs; anadl o sŵn
cynnil fel llais ci Annwn,
fel neidr fêl o nodau
yn llithro, gwingo a gwau;
rhwygo triog tew'r awyr
yn llafn tawel dirgel dur
o chwant hyd y palmant poeth
drywanai frys didrannoeth
y ddinas; trwy balasau
yr arcêds ar amser cau
heb ei weld, fel dewin bu
y miwsig yn tresmasu,
a sleifio'n flŵs hylifol
dan ddrysau'r banciau, heb ôl
o'i alaw fain cŵl a fu
fel enaid cyn diflannu,
ond nwyon blin y ddinas
am ein sodlau'n glymau glas
yn darnio'r holl Sadyrnau
hen-ffasiwn pan oeddwn iau.

Emyr Lewis

Gofyn byrger

Eneth lân mewn capan coch,
os wyt mor agos atoch,
mor hynaws ag mae'r haenen
minlliw sy'n winlliw o wên
hyd dy fin yn dweud dy fod,
gwertha, a phaid â'm gwrthod,
homer o fyrger i fardd,
golygfa gig i lwgfardd.

Nid dwy em dy lygaid di
yw'r ddwy em beraidd imi,
ond dwy fwy'n llawn nwy neon,
dwy M loyw hyd ymyl lôn,
y ddwy sy'n adwy yn awr
i'r gwynfyd briwgig enfawr.

Mae'r cynhwysion fel tonig,
er bychan canran y cig:
mae ugain o gemegau
tri dyblyg 'n y briwgig brau,
gwaddod, ychwanegyddion
silwair amheus, sawl hormôn.
Rhy ddinod yw barddoni
heb y saim a'r B.S.E.

Eneth hardd, y mae'r bardd bach
yn bosto am gig bustach,
yn ffafrio bîff efo'r beirdd,
efo'r geirfawr fyrgerfeirdd . . .

Cig hiraeth oedd i Ceiriog,
tra sglaffiai, fe ganai'r gog
yn ei ben, a'i awen o'n
oslef fel saim yn sislo.

Blodeuai awen Gwenallt
os câi hansh o flas cig hallt;
rhoes i Grwys ei sigarèts,
ceiniogwerth o McNuggets
a'i gasgliad o ddilladach
am fyrger o'r Border Bach.

Dewisai I.D. Hooson
gael hanner byrger mewn byn.
(Byn fach oedd gan Eben Fardd,
caledfyn oedd gan Clwydfardd.)

Bron i Syr John Morris Jones
ddrysu yn nyddiau'r *rations*
nes iddo ffeirio (am ffi)
sborions â Williams Parry.

Roedd Elfed rhy barchedig
i arddel y cythrel cig
yn gyhoeddus, ond gwyddom,
yn drist yn ei got fawr drom,
iddo geisio cig y wêr,
bargen mewn *British Burger*.

Nico, pan ddaeth eto'n ôl
welodd yr oll-gynhaliol
Cynan, do, 'n cael cinio da
'Macdonalds Macedonia.

. . . Am hynny'n awr fy meinwen,
a'th finlliw'n winlliw o wên,
rho ar hast mewn bocs plastig
ddwy haenen o'r gacen gig
a rhyw dwtsh o bupur du
a chaws sydd wedi chwysu,
na chwardd, a lapia'r barddfwyd
mewn byn bara lipa lwyd.

"Hei, *far out*, ti isio *fries?*"
(O oslef bêr felyslais!)
"Wyt ti'n clywed, dwêd, dadi?"
(Rhyw hen fardd truan wyf i.)
"Yli, cwd, jyst, jyst hwda.
Have a nice day, love. Nos da!"

Emyr Lewis

Sut i ddewis ysgrifennydd gwladol

1. Wedi'r drin

Redwood yn drist a distaw
at y dregs aeth eto draw,
at Norm a Mrs Gorman
a henwyr pŵl hanner-pan.

Ond heno, i Stryd Downing
y daw, wedi'r dathliad, ing
o deimlo colled Redwood,
a mynnu parchu drwy'r pwd.
Pwy fel hwn all gadw'n gaeth
y swigen dywysogaeth,
y boen tin orllewinol
o wlad, mewn ffordd mor ddi-lol?
A heno yn Stryd Downing
rhaid yw rhoi i Redwood *ring*.

2. Cyngor Redwood

"Rho ŵr ifanc, dibrofiad,
na fu na'i deulu na'i dad
na'i nain na'i Anti Ninnie
na'i 'sglyfath o gath na'i gi
na neb y mae'n ei 'nabod
i Gymru. Rwy'n barnu bod
y Welsh yn lot llai bolshi
wrth gega â'n hogia' ni
nag wrth ymbil â'i gilydd
am yr iaith a Chymru rydd.

Gŵr ifanc, ie, digrifwr,
plentyn llwyr â synnwyr siŵr
o hiwmor (peth dieithr imi),
un â gwên, mae'i hangen hi
i swyno'r *natives* anwar.
Rho blentyn all wenu'n wâr,
digri, gostyngedig ŵr,
rho wàg, ac yntau'n GROGWR."

Emyr Lewis

I gyfarch Bryn Terfel

(yn Nhŷ Tawe 20/1/95)

Llais y genedl, llysgennad
di-lol celfyddyd ei wlad;
un o'r sêr, un o'r werin,
un â'r hwyl i'w morio hi'n
daran o gân, i gynnal
enaid y dorf, yna'i dal;
llawn cyffro wrth hyrddio her
a dewinol o dyner.

Arwr a'i ddawn sy'n rhyddhau
â'i un llais ein holl leisiau;
fe waeddwn fawl celfyddyd
sain y bas sy'n swyno byd;
a'r cenhedloedd sy'n bloeddio,
drwy Bryn, mae Cymru'n eu co'.
Ein trwbadŵr trwy'r byd yw,
cenhadwr mewn cân ydyw.

Emyr Lewis

Colin Jackson

Canu'n groch a stecen grai
yw arwriaeth i rywrai:
rhuo a phwnio'r awyr,
ymfoddhau mewn dyrnau dur.

Ond nid swagar pob arwr;
mae gwên swil, mae egni siŵr
i'w cael yn osgo Colin.
Gwylia hwn yn plygu glin,
a chodi fel llecheden
neu garw balch, cyn gwyro'i ben,
rhoi llam ar frasgam ar frys
yn siriol o ddansierus.

A Chymro diamod yw,
rhedwr dros Gymru ydyw;
ei wên a'i hwyl yw ein her,
ei naid yw'n hunanhyder,
a'i ddistadledd bonheddig
sy'n curo brolio i'r brig.

Emyr Lewis

henaint ni ddaw ei hunan

**nid yw yn hawdd
mynd yn hen**

hen ofn dyn o
fynd i oed

**nid yw neb
yn mynd
yn iau**

cwrs o Status Quo

Status Quo

Hawdd i feirdd cawraidd o faint
yw swnian am loes henaint,
mwydro am beidio â bod
a'i deud-hi'u bod nhw'n datod,
a gwneud rhyw ddatganiadau
nad yw neb yn mynd yn iau.

Nid oes pilsen rhag henaint;
dyna ni; nid ydyw'n haint
ond agwedd, stad o feddwl
nad yw'n gorfod bod yn bŵl;
oes moddion dod ohono?
twt, oes, cwrs o Status Quo.

Dewiniaid crysau denim
a'u dawn heb heneiddio dim,
y bythol sionc bendoncwyr,
cyndeidiau ar dannau dur
y gitâr yn fyddarol,
a'u rac-a-rac, roc a rôl.

Maen nhw'n hen — maen nhw'n mwynhau
yn wyllt, er colli'u gwalltiau;
ŷnt deidiau'n awr; ŷnt adar;
hogiau bach blŵs deuddeg bar.
'Sdim mwy gobeithiol na stŵr
taranu gitâr henwr.

Emyr Lewis

Gwreiddiau

Ynof mae cof am 'nhad-cu,
hen olion poen ei waelu.
Cofiaf onglau'r 'sgwyddau sgwâr
yn geinciau trwm o gancar,
a rhoi i bridd gyhyr brau
i orwedd yn ei erwau.
Yno'r byw'n cysuro'r bedd,
yn wylo eu hymgeledd;
ninnau'n dau, gwyliem dywarch
o wraidd yn anwesu'r arch.
Llinyn oesoedd pell heniaith,
o bridd du yn mynnu maeth,
gwreiddyn fel genyn yn gwau
y 'nabod i wynebau.

Ond golau ydyw galar,
yn ein co' mae ffrwyth ein câr.
Ar y sgrîn llun egino'n
llenwi'r cur â lluniau'r co'.
O gariad, dyhead dau'n
gannwyll i'w thyner gynnau;
o'i dynhau mae'r DNA
yn rhuddin trwy ein gwreiddie.
Ynof mae cof am 'nhad-cu,
hen olion hil yn celu.
Ei dir yw cynefin dyn,
mae'n holl linach mewn llinyn.
Yn y byw mae gobaith byd,
a'n hafiaith yno hefyd.

Gwenallt Llwyd Ifan

Merch y môr

Ar lether dros Bwll Deri
daeth trysor y môr i mi,
â'i chorff o flodau porffor,
ar ei min cusanau'r môr.

Cerddodd uwchben y corddi
a'i llais dawelodd y lli,
rhoes ei lliw ym mriw fy mron
yn eli o'i hawelon.

Wyt y grug, wyt y gragen
wyt alaw a llaw fy llên,
ti yw fy serch merch y môr,
fy angel, wyt fy angor.

Gwenallt Llwyd Ifan

Dunblane

Mae'r mis oer 'leni'n oerach,
aeth y bedd â phethau bach;
a rhynnu mae rhieni
hyd oriau hir naw tan dri.

Hwythau'n dal eu bagiau bach
i gesail yn agosach,
am law tada'n dala'n dynn
â gaeaf ymhob gewyn.

Cotiau'n dynn, dynn amdanynt
yn y gwyll rhag min y gwynt.
Efo nhw mae'r un fu'n hau
ei fwledi fel hadau.

Gwenallt Llwyd Ifan

Dinas

Heno nid oes cwsg ynof;
calon sy'n curo'n y cof.
Codaf o wely cadach,
cyn gole y bore bach,
a gweled fy lled trwy'r llen
yn hylif oer y niwlen.
Poer y rhew sydd yn parhau
hyd y ris o derasau.

Arni mae'r siopau cornel
am y wawr yn hir ymhél,
llygaid gwag drysau'n agor,
bodau oer tu ôl pob dôr.

Am wariant yn ymaros
yn y niwl ym mherfedd nos,
ffyniant llesg a pheintiau llaeth
yn suro â blas hiraeth.

Blas y teras, UHT,
a hwtran tocyn lotri;
yno trais am bunt y tro
o fodio'r silffoedd fideo.

Yn y draen papurau'n drwch
a geiriau ffug foesgarwch
mewn sudd i'w gilydd yn gwau
eu poerad ar bapurau.

Fanco'n bell mae llinell lwyd
o dyrau'r gwaith a dorrwyd.
Gwaith fu unwaith yn llenwi
amlen lwyd ein hangen ni.
Yn eu lle mae'r chwyn a'r llwch,
a'u tyrau'n ddifaterwch.
Rhag y glaw'n beryg o glyd
yn gaerau o seguryd.
Ni ddaw gwres o'r ffwrnesi
na'u mwg nawr i'n mogu ni.
Heno dim, dim ond y dôl
yn ffenest y gorffennol.

Teulu oer y byd di-lun
miloedd y golau melyn.
Heidiwn at gyfrifiadur
heibio dyn â'i wyneb dur.
O biswail i hysbyseb,
dim ond bod heb nabod neb.
Ein serch dim ond at berchen,
prynu byw a hynny'n ben.
Ddunos oer yw'r ddinas hon
heb alaw, heb awelon.

Gwenallt Llwyd Ifan

Vinny Jones

Yn nyddiau'r miliwnyddion,
bali grîd yw y bêl gron.
Aur ac arian yw'r gorwel,
byd y bunt yw byd y bêl.
Ni, y ffans, sy'n talu'r ffîs
a'u seis rhy fawr i'r sisis.

Mwy erchyll yw gweld merchaid
yn awr, yn chwarae'n un haid.
Gêm dynion yw hon i fod
a no wê i fenywod.
Lle nhw a'u teip yw ll'nau tŷ,
neu o golwg, mewn gwely.

Eisoes fe ddaeth tywysog
drwy y niwl o Dir-na-nOg.
Mae'n ugain Owain yn un,
gall hawlio clog Llywelyn,
mae o'n sant, '*like my own son*',
y waldiwr o Wimbeldon.

Fel dwsin o fwldôsars,
mae'n taclo, yn stampio'r stars,
hwy'n gorwedd yn llorweddol
yn deud dim, dim byd at ôl;
y sêr sy' werth namyn swllt,
un a'i goesau'n ddigyswllt,
heb gaill — aeth un i bob gôl
(mae hynny'n anymunol).
A hen arddull llawn urddas
a dry wimps yn fois o dras.

Gwion Lynch

Owain Glyndŵr

(Ar achlysur dadorchuddio cofeb i Owain Glyndŵr ar sgwâr Corwen, Ebrill 22ain, 1995.)

Ar sgwâr Corwen eleni
y mae mwy na maen i mi,
ar hwn adeiladwn lys
yma ar y graig rymus.
Daw'r plant i ailgodi'r plas,
Edeirnion eto'n deyrnas.
Dyma ddaear fydd darian,
erwau hil sydd ar wahân.
A daw Owain o'r diwedd
yma'n ôl a'i dir mewn hedd,
o'i hirdaith gwêl y Ddyfrdwy
a chael mur na ddymchwel mwy.
Fe yf o ddŵr yr afon,
fe yf faeth cynhysgaeth hon.

Gwion Lynch

Breuddwyd

(Nelson Mandela)

Henwr o freuddwydiwr ddaeth
heddiw i'w etifeddiaeth,
o oerni cell, o rŵn cad
i haeddiant ei ymroddiad;
gŵr y wên, ac arweinydd
ddygodd wlad at doriad dydd.

Yn libart yr 'apartheid'
hawliau'r llu'n hualau'r llaid;
yn heth nos, a hwythau'n neb
y waldiwyd cydraddoldeb,
a gair y lleiafrif gwyn
yn rhuddo twf ei wreiddyn.

Yn Affrig rhwystredigaeth
a gwae trais yn rhwygo traeth,
yr oedd lluman gwahaniad
yn serio hil â'i sarhad:
daear hardd i'r meistri hy,
biswail i'r crinddail croenddu.

Â dwrn cur am dir yn cau
yn wynias ei efynnau,
yr oedd dyn a'i freuddwyd ef
yn nodded i'w ddioddef,
y ffŵl â'r gred na phylai,
hwn a droes y llanw'n drai.

Yng nghrochan y treflannau
megis tân, bu'i gân yn gwau,
a rhuddaur fflamau rhyddid
hwn a'i lwyth enynnai lid
dieflig y pwysigion —
heriai'u deddf â geiriau'i dôn.

Heriai'u gwarth drwy ddôr ei gell,
nis dofwyd gan un stafell
gaeëdig — gweledigaeth
y gŵr nid arhosai'n gaeth,
aeth â'r boen drwy barthau'r byd,
hedfan o wyll ei adfyd.

O'i wely, codai i wylio — y bore
drwy'r barrau'n ymdreiddio;
yr oedd dawns ei freuddwyd o
yn llenwi'r ddugell honno
â'i hafiaith bythol-ifanc —
yn ei lli, roedd yntau'n llanc.

Onid gwyrth? Rhyddhawyd gŵr
o'i ingoedd yn ieuengwr,
yn hen, dros ei drigain oed
a'i obaith fel ei faboed!

I'engwr o freuddwydiwr ddaeth
heddiw i'w ddinasyddiaeth;
ei air ef, drwy'r wlad yr â
o'r tyrau ym Mhretoria,
a hwyl un carnifál hir
yn gryndod drwy'r hen grindir.

Hilma Lloyd-Edwards

y mae'r Ddaear yn barod

Noswyl Nadolig

Y mae ias ym mwrlwm hon
a hud yn ei chysgodion,
y tai oll dan hetiau iâ,
arian yn gloywi'r eira,
dan y sêr yn nyfnder nos,
hen ŵr a'i sled yn aros.

Ar ei daith yn hwyr y daw
i estyn rhoddion distaw
i ni o'i sach, 'nôl y sôn,
a'i ddod yn llawn breuddwydion;
gyrru drwy niwl ac oerwynt
wna hwn i gyflawni'i hynt.

Y mae'r Ddaear yn barod,
noswyl a ddisgwyl ei ddod.

Nid eira ac nid oerwynt
a gaed ym Methlehem gynt,
dim ond mwmian baban bach
awr ei eni; — cyfrinach
fawr y nef yn nofio'r nen,
a'i harwydd yn un seren
lachar uwch y Ddaear ddu'n
denu byd i un beudy.

Roedd y Ddaear yn barod
i'r nos arddangos Ei ddod.

Hilma Lloyd-Edwards

Trychineb y Sea Empress

Bu hedd ger afon Cleddau,
do, un waith, a'r byd yn iau;
nes i hon o'i mynwes hi
fwrw'i hoel i fôr heli
i lynu'n dynn drwy'n mynd a dod,
yn debyg i gydwybod.

Mae olew am a welir
fel llaw hurt yn tagu'r tir,
yn rhoi tro i wddw'r traeth,
yn glais dros gnawd y glastraeth;
galar syn trwy'r gwynt yn gwau,
a bro yn llyfu'i briwiau.

Mae arch yn nhir y gwarchae
ac amdo du lle bu bae.

Mae bedd ger afon Cleddau,
a'i fraw dros y ddaear frau.

Huw Meirion Edwards

Gorchwyl

A welodd tîm y Talwrn
yn ei fyw y ffasiwn fwrn?
Bu cwpledi'n chwyrlïo,
oll â'u clec, drwy dwll y clo,
hen drawiadau direidus,
rhai a'u brad mor fawr â'u brys,
yn dod ataf wrth siafio,
eu trwst yn daerach bob tro.

A bu geiriau'n begera,
dyn chwil a'i ymbil yn bla:
'*Un ias dwym yw einioes dyn,*
ddoe'n llachar, heddiw'n llychyn.
Geiriau Bardd a gwir bob un!
Defnyddia'i,' meddai'r meddwyn.
'Derbyn gyngor dyn sy'n dallt —
'fydd gwireb wrth fodd Gerallt.'

Mae'n hwyr, a gŵyr o'r gora'
nad yw'n hawdd i fardd ddweud 'Na'.

Huw Meirion Edwards

Haf 1995

Yn haul Eisteddfod Colwyn
un gŵr â gwisg aur a gwyn
o fwrw ei hud dros y fro
wnaeth haf yn haf i'w gofio.
Yntau, y llaes ei fantell
hawliai'n parch wrth gyfarch gwell,
wrth sôn am awen onest
y cywion iau o Barc Nest,
a ni i gyd yn gegrwth gaeth
yn rhannu o gyfriniaeth
y gŵr â gwisg aur a gwyn
yn haul Eisteddfod Colwyn.

Idris Reynolds

Telyn Twm

Yr hwn a gerddo'r moryd
tua'r bar ym mhen draw'r byd
glyw hen iaith y glannau hyn
yn ieuanc yn yr ewyn.
Bydd Llydaw a'i halawon
yn euro'r dydd ger y don
a'r Gymraeg a'i miri hi
yn nhraw alaw yr heli.

Y mae ias pan fydd y môr
a'i lanw mewn telynor,
cynghanedd bysedd y bae
uwch Iwerydd yn chwarae
y nodau serch sy'n dwysáu
y sŵn ton sy'n y tannau
nes bo'r cerddor a'i stori
yn un llais â llais y lli.

Idris Reynolds

Dim ond celf

Ar ôl gweld Emyr Oernant ac Ifor Owen Evans ar y rhaglen honno.

Nid oedd ar agenda hon
ond llais i'r deallusion —
mwy neu lai 'run rhai bob tro,
y rhai sy'n paldaruo
yn dafodffraeth gliciaeth glòs
yn seiadau y pseudos.

Yn gyson dyma stondin
y sagâu o gaws a gwin
ac ôl hast llaw chwith ddi-glem
y *way-out* ar bob eitem;
diddeigryn ydoedd lluniau
Cymru wag y camerâu.

Yna i'w sêt, fel hen sant,
yn ei harnes daeth Oernant
mewn ffrog werdd, yn gerdd i gyd,
yn fyw o glos ei fywyd;
bardd y cyfnod ôl-fodern
yn sgwâr o'i legins i'w gern.

Cawd hiwmor Ifor hefyd
yn ddewr ei wedd, yn dei ddrud,
yn weled anghyffredin,
yn sgweiar hwyl, yn llond sgrin;
un o'r rhai dry'r Gymru hon
yn neuadd o ganeuon.

Yn griwiau dewch o Gaerdydd,
y nhw yw'r dalent newydd.
i'r wlad maent deledadwy,
brysiwch, arwyddwch hwy
heddiw, cans gwn y byddai
rhain yn sgŵp ar loeren *Sky.*

Idris Reynolds

Rhif deg

Roedd ffatri mysg ffatrïoedd
yn y De; un gweithdy oedd;
yno gynt y gwneid y gwaith
o lunio'r maswr glanwaith,
hen gewri heb ragorach
fel Barry a Benny bach.

Ni ddaw neb i gloddio'n awr
hen hudoliaeth y dulawr,
y ddewiniaeth oedd yno
yn lân yn y lefel lo,
y ddawn brin oedd yn barhâd
o oes aur rhyw hen siarad.

Yn nhai'r gwaith segur yw'r gêr
a Betws heb ei hwter,
yn dawel heb griw diwyd
i fywhau y meinciau mud,
a thir wast yw'r llethrau hyn
heb gae chwarae na Charwyn.

Nid oes yn ein dyddiau dall
un warws i Gliff arall,
a Dai Watkins ond atgof
ymbellhau wna caeau'r cof;
a ddaw mwy o'r meysydd mân
un siriol o Drimsaran?

Mae'r olwynion yn llonydd
yn y De ers llawer dydd,
y sied waith yn drist ei stad
drwy ysgall y dirwasgiad,
yn dyllog, heb gyffro gwŷr,
a ninnau eisiau maswyr.

Idris Reynolds

Dewi Bebb

Ynom oll mae cof am ŵr
a gollwyd, yr asgellwr
dewr ei wedd a chwim ei droed
a wibiodd drwy ein maboed
i roi'r bêl yng nghorneli
ein breuddwydion eon ni.

Hyd feysydd lleidiog hogyn,
yn ei goch, mewn du a gwyn,
fel silowét dôi eto
i sgori cais caeau'r co',
yntau'n croesi, a ni'n iau,
y lein sy'n ein calonnau.

Mae hen wae am un a aeth
ar elor dwy farwolaeth;
ddwywaith gwaeth yw'n hiraeth ni
a'n doeau'n un â Dewi.
Collwyd ef, collwyd hefyd
gyfrinach ryw burach byd.

Idris Reynolds

Rhannu

Rheithgor yn gwagio'r gegin
yw'r ddau ddoeth, drannoeth y drin
a symud sy'n rhesymol
i bâr a gafodd lond bol.
Y wraig, yn lle ei regi
wrthi'n hel ei charthen hi,
yn pacio yn lle gwneud picil
a chwpla'n swta o swil.
Y gŵr, heb rannu 'run gair
yn cydio ymhob cadair
simsan, cyn mentro'u rhannu;
ofna loes atgofion lu
eu cyd-fyw, unrhyw anrheg,
a'r un dyn a'u rhanna'n deg,
y brawd yn edifar bron
â'u haelwyd heb ei chalon.
Teimla'n dwp wrth gloi'r cwpwrdd:
rhannu'r bwyd, nid rhannu'r bwrdd.

Ifor ap Glyn

nos

ni

Gorffen

Un tro tra'n ei gwatwar hi
gwyliais ei gwep yn gwelwi;
ein byd ni, a'r nabod noeth
a rannwyd gan air annoeth.

Clywais ei llais yn lleihau
yn ddigri, cyn troi'n ddagrau,
sŵn od yn atalnodi
y nos a ddaeth rhyngom ni.

Gair dwl, carbwl, hanner call
yn ddiwedd ar gyd-ddeall;
un gair gwamal yn chwalu
mor fân y muriau a fu.

Ifor ap Glyn

Nambè

Yn nhalaith yr anialwch,
yng ngwlad y lleuad a'r llwch,
mewn oes bell, yn bell cyn bod
duwiau, rhoed gwlith ar dywod,
rhoi anadl ym more hanes,
i greu hil o glai a gwres:

rhoi einioes a rhoi enw
'n dennyn aur amdanyn nhw
i'w clymu i'r encil yma,
i odde'r haul ar wddw'r ha'
ac ar war eu cysegr roedd
anniddig iau'r mynyddoedd:

yno'n falch eu cenedl fu
'n eu hafiaith yn cartrefu,
yn ateb cri'r coyote,
'n hoelio gair ar air, fel gwe
hudlath, yn gweithio chwedlau
a'u hiaith yn un brodwaith brau:

daeth newid, daeth yn aea'
oer a hir, bu farw'r ha';
rhoes gynnau goresgynwyr
daw ar gân a hyder gwŷr
ifanc huawdl eu tafod,
daeth rhyw fan dieithr i fod.

o dan dywarch y gwarchae,
ynghudd dan y meysydd mae
lludw eu doe colledig
'n llafar dan y ddaear ddig,
daear na rwyga'r arad
— hi yw'r pridd, a llestr parhad,

sy'n ymbil dros y Nambè,
yn rhoi llais i fory'r lle:
fe glywais innau'r lleisiau
un nos o ha'n agosáu,
yn galw ar ei gilydd
i'w rhyddhau o'u cistiau cudd:

yn Nambè'n yr hwyr synhwyrais,
ac adwyth ei lwyth yn ei lais,
law hen ŵr yn fy nal 'nôl
yn ei angerdd, mor ingol
i minnau ei eiriau o,
"heb bobl, ni phery'r Pueblo."

Iwan Llwyd

Traeth

Mae'n gwlad fel troad y traeth
yn haenau o wahaniaeth:
yn graig, yn dwr o gregyn,

yn gae o ronynnau gwyn,
yn ydlan wleb a mwdlyd,
yn gnwd gwymonog, yn ŷd

llaith yng ngwres prynhawn llethol,
neu wylan wen yn galw'n ôl
a'r iaith yn ei chri o hyd

a'i helynt yn dychwelyd
yn llanw, a'i llawenydd
distaw, fel y daw y dydd

yma i'r lan, daw'r môr a'i wledd
yn nhonnau y gynghanedd,
môr sy' yma i aros

yn rhythmau ein clymau clòs,
môr o olau'n ymrolio,
môr o haul ar draeth fy mro.

Iwan Llwyd

Tref

Hen siment ar balmentydd
a sbwriel a rwbel rhydd,
a thrwch o lwch wna i le
edrych fel 'tae neb adre
i forol am yr heol hon
na dyfalu adfeilion:

hen deras codi hiraeth
am wên deg cymuned a aeth
i'w henaint digwmpeini;
fe â lôn ei chyfle hi
yn dwrw chwerw drwy'i cho',
a'r hen dre yn dirywio:

hen furiau uwch y Foryd
heno'n atgofion i gyd,
am hir siwrneiau'r moroedd
heibio i Lŷn — adre daw bloedd
y gwynt anial sy'n chwalu
hwyl y daith yn gwmwl du:

hen wreigen yn cau'r llenni
ar olau'r haul, a'i pharlwr hi
yn warws o hen greiriau
dan drwch o dwllwch, a dau
gi mud ei chyn-gymydog
yn y llwch yn magu llog:

yna i'r stryd, ar draws y dre,
rhowliodd y criw o rywle,
yn un gynghanedd feddw,
a dwyn eu hiaith gyda nhw,
a'u llawenydd drwy'r llanast
yn dŵr o hwyl ar dir wast;

y nhw yw'n castell bellach,
ni threchir byth ar chwarae bach
eu gwên, a sŵn y dre'n drwch
hyd furiau eu difyrrwch:
mur eu nerth yw miri'r nos,
muriau sy' yma i aros.

Iwan Llwyd

Aderyn diarth

Unwaith daeth 'deryn unig
â baich o ddail yn ei big
ar daith, fel creadur dall
a tharo ar draeth arall:
traeth yr hen hen gynghanedd,
y bar rhwng y byw a'r bedd,
tywod y llanw tywyll,
y golau hallt a'r glaw hyll;
daeth at draeth y trai eithaf,
a thraeth haul diwetha'r haf.

Disgynnodd a diosg yno
ei ddail a'i unigedd o,
taenodd ar hyd y twyni
ei drysor, a lliwio'r lli
'n lasach na'r llygaid tlysaf
neu gaeau boreau braf:
canodd, gweddnewidiodd wae
chwerw yn blant yn chwarae,
rhwydo chwerthin cariadon
yn y pair lle dawnsiai'r don:

Ei ganiad oedd troad trai,
ei alawon a lywiai
y llong wen o ben y byd
yn ôl at ei hanwylyd,
llywio'r llanw a'r lleuad
i'r wledd, a dychmygu'r wlad
yn gryf gan fwg y reufeirdd,
ac awen bêr gwin y beirdd:
canu'i gân, ac yna'n gall
hed i wawr rhyw wlad arall.

Iwan Llwyd

Penrhyn Llŷn

Y mae Awst yn ymestyn
cyhyrau ei goesau gwyn
ar hyd trum ansicr y traeth,
a huodledd cenhedlaeth
ifanc yn tasgu nofio
'n torri hafn drwy'r pyllau tro:

y mae'r haul ym myw'r heli
'n danbaid yn llygaid y lli
a'r ymwelydd mawr melyn
dros dro yn llancio 'Mhen Llŷn,
bwrw'i rwyd am freuddwydion
a dod a'i osgordd yn don
at y rhyd lle gwyra'r traeth
i hawlio'i fuddugoliaeth:

ond yma o hyd y mae môr
Iwerddon, fel hen gerddor
a thraw ei alaw'n galw'r
nos a'i dawns ar draws y dŵr.

Iwan Llwyd

Dyffryn

'Lle nad oes lleisiau ond y lleisiau sy'n diddanu . . .'

Gan gefn gwlad pan siaradaf
â'i choed a'i chloddiau ni chaf
yn ateb ond gwyll swta
a rhyw darth o "fore da".
Mudandod sydd yn codi
yn niwl dros fy nghalon i.

Ni chaf dan gysgod ei chyll
na rhithyn o sblash brithyll
na gair gan 'run wal gerrig,
na cherdd gan surbwch o wig,
dim cân o'r llyn am funud
na bŵ na be yn y byd.

O'r fan hyn i'r afon af
o Ionawr i Orffennaf,
at lan y dŵr sy'n sgwrsio.
Ac, o raid wrth daflu gro
hau a wnaf fy nghŵyn i hon,
hau i'r dŵr fy mhryderon.

Pan siaradaf â'r afon
daw o hyd ateb o'r don.
Afon yw a'i geirfa'n hael
afon a'i chwmni'n gafael
o don i don, nos a dydd
hi'r afon yw fy nghrefydd.

Wrth annerch nerth ei thonnau
fan hyn wyf ganrif yn iau,
wyf fy hun, wyf wahanol,
wyf daid fy nhaid fil trai'n ôl,
yn disgwyl cerdd o'r merddwr
yn dal i gyfarch y dŵr.

Yr afon yw 'marddoniaeth
trawiad ar drawiad dros draeth
yn golchi, â'i chwmnïaeth
yn hyrddio i'r co' gerddi caeth.
A thra bydd hon yn cronni
fan hyn bydd fy nyffryn i.

Mei Mac

llong wen

fy holl
anghenion

yn

dros

suo dod

y don

Llun gan Eric Jones, gyda diolch i Golwg

Y llong wen

Ger y dŵr neithiwr ro'wn i
a hiraeth yn fy nhorri:
bardd anial, bardd â chalon
oerach, mil duach na'r don,
yn dyheu am olau dydd,
awen y flwyddyn newydd.

Llen o ddu fel llynedd oedd
y dŵr a'r uchelderoedd.
Erwau'r nef a'r môr yn un,
yr awyr gyda'r ewyn,
a dim ond y lleuad wen
yn nofio drwy'r ffurfafen.

Yna daeth, fel llwyn ar dân
ar orwel papur arian,
tri mast cry'n cusanu'r sêr
a'i choed yn drwch o hyder:
llong wen fy holl anghenion
yn suo dod dros y don.

Drwy'r bae fel aradr o bell,
llyfn ei bow fel llafn bwyell,
rhwygodd ei ffordd drwy'r eigion,
ei chrib yn torri bob ton
ac eira glân mân y môr
yn lluwchio i'r naill ochr.

Ar ei bwrdd holl gerddi'r byd,
rhai difyr, a du hefyd.
Mynydd a mwy ohonynt,
sonedau'n gwau gyda'r gwynt.
Englynion at fy nghluniau
lond silff ar silff yn nesáu.

Hwylio'n nes i'm calon 'wnaeth
ei chaban o achubiaeth.
Yn dafarn o gerdd dafod,
gwin geiriau dros donnau'n dod.
Yn ei howld roedd f'awen i
yn gannoedd o gasgenni.

Yna sylwais o'i hwyliau
na fu i'r bad forio'r bae,
dim ond dod i dwyllo dyn,
rhyw ddod heb gyrraedd wedyn.
Nid yw'r cwch ond cwch y cof,
a ddaw'n rhyw awydd ynof.

Ni ŵyr neb am hwylbren hon
na'i bwrdd hud ond breuddwydion.
Ni all un gydio'n ei llyw,
anweledig hwyl ydyw.
Llond bad o ddyheadau
dan y sêr nad yw'n nesáu.

Na, ni wnaeth lanio neithiwr,
ond ara deg grwydro dŵr
y cof. Ni lwyddodd y cwch
i hwylio drwy anialwch
niwl y nos — fy ngadael 'wnaeth
yn Iwerydd fy hiraeth.

Mei Mac

Môr glas mor wyrdd

Yn y môr mae gwin fy myd,
ewyn a'i lond o fywyd,
môr o wefr, môr glas mor wyrdd
a'i wely yn fytholwyrdd.

Yn y môr y mae arian,
dan y dŵr pysgod yn dân
ac yn eu mysg yn ymwâu
yn y gwymon mae gemau.

Yn y môr mae sibrwd mân
sy'n hŷn na'r don ei hunan
a rhywle'n nwfn yr heli
mae 'na gân i'm hannog i.

Mei Mac

Crefftwr

Does yn y sied ond rhedyn,
bwyell goch ac ambell gŷn,
dyna oll sy'n dwyn yn ôl
yr hen saer a'i wên siriol.

Ond ni chollaf mo'r siafins
na hen baent mewn tuniau bîns,
colli 'rwyf y cellwair iach,
y geiriau nid y geriach.
Nid y wawr o oglau da
na'r arfau ond yr eirfa.

Rhy hawdd yw gwario heddiw;
handi yw coed B&Q,
ac am hyn o gymwynas
a rhoi ein bryd ar bren bras
claddwn saer, claddwn siarad
ac i lwch rhown lafar gwlad
a rhoddwn wrth ei briddo
yr iaith hitha' gydag o.

Mei Mac

Llŷn

Di-lun, fel Môn yn union,
rhyw wlad fawr lletach na'r lôn
oedd hi unwaith, Llŷn ddinod,
lle na bu un llai yn bod.
Annifyr o blaen hefyd,
hon heb os oedd tin y byd.

Ond pan ddaru'r car farw
nid Llŷn oedd Llŷn ar fy llw!
Gwlad o nadroedd ydoedd hon
yn baradwys ysbrydion.
Yn nhir neb am hanner nos
diawl o le oedd Rhydlios.

Yr oedd Cŵn Annwn yno,
teirw hurt rownd pob un tro,
holl adar y byd arall,
dwy fil o stlumod y Fall
yn un pla, ac yn eu plith,
llofrudd mewn gwisg dyn llefrith!

Colbiais, pwshais y Peugeot,
a rhywfodd mi daniodd, do!,
ac wele ês o dwll gwlad
a'n nhrôns-i angen rinsiad
yn ddyn gwyllt, yn ddyn o'i go',
yn waeth na Wil Bodneitho!

Drannoeth, i gr'adur unig,
a'i draed cyn oered â'r wig,
wedi'r profiad ofnadwy
roedd Llŷn rhyw fymryn yn fwy.

Mei Mac

93

Maenorbŷr

Ar nos pan ddylech lechu
yn y cwâl â chymar cu,
heglwn yn gynddeirioglas
i wyll bell drwy byllau bas,
a llithro dros y llethrau
mewn helynt, a'r gwynt yn gwau
degau o longau heb lyw,
a dau alarch mewn dilyw.

I fôr uwch esgynnent fry,
fel anwedd yn diflannu
yn uwch na'r holl entrychion
myglwyd, nes mynd fel dwy don
o olwg drwy'r cymylau,
ac o'u hôl roedd niwl yn gwau.

Ond daeth 'nôl, yn ôl drwy'r nos
oerwaedd alarch diaros,
yn chwilio wrth ddychwelyd
y boen bereiddia'n y byd,
eilwaith y daeth i chwilio'r
môr oer am ei gymar o,
a'r alarch yn sgrialu
drwy'r niwloedd i'r dyfroedd du.
Rhuai, rhuai'r man lle'r oedd
ei dwyfron ar y dyfroedd,
yn colli'i ben, colli'i bwyll,
drwy'r dŵr fel barbwr byrbwyll,
tanbaid y llygaid, a'r lli
ewinog ynddo'n cronni.

Yno saif, nes cilia'r sêr,
yn llefain am ei lleufer,
yn oeri fel llafariad
nes mynd o glyw, o glyw gwlad;
a stŵr dŵr yn ymdaro
yn chwil, chwil o'i amgylch o.

I'r neb ym mhydew gwewyr,
mwyna'r boen ym Maenorbŷr.

Meirion W. Jones

Y Wilibolfran*

*(*sef enw pysgotwyr Llan(du)doch ar y bilidowcar.)*

Fe wn, er nas gwelaf o,
ei fod wedi hir fudo
drwy'r hwyr ac yn ôl i'w draeth,
adref yn ddilywodraeth
o wyntoedd yr Atlantig
heb waedd na chân ar ei big.
Hen heglwr ar ffyn baglau
yn glaf wrth i'r gaeaf gau,
yn sgimio wrth frasgamu'n
hunlle byw i'r fan lle bu,
'nôl i gôl dduaf y gwŷdd
i'w westy o'r môr cystudd,
'nôl i Lan'doch i drochi
ei wedd oer yn Nheifi ddu,
ac i hongian ei faner
ddu ar led, yn flanced flêr.
Fe wêl anaf yr afon
a sêr du yn dawnsio'r don.

Yn y coed a'r man lle cwn
ei ystum fel hen gwestiwn,
fe ddaw, daw o'r dyfroedd dall
eiriau o ryw iaith arall,
yn seiniau hwnt i synnwyr
sydd yn cau amrannau'r hwyr.

Meirion W. Jones

Cywydd y saith iaith

'I'm a Sass'nach. *Sut 'dach-chi?*
Why have I heard *'Ych-a-fi'?*
An' how do boys find a bog
when you' use *'Dynion'* in Stiniog?
This language hubb-ubb's rubbish:
one is ample — that's our wish.
What's *englyn* when it's English?

You' name — is that thing no'mal?
Do you like sounding doo-lal?
'double-D . . . I . . . ' — bloody din —
well, I marvel — it's Mervin!
The way you spell — it's hellish,
no way right for *nouveau riche.*
What's *englyn* when it's English?

What's *ich dien, cappucino?*
an' *soixante-neuf?* — I shan't know . . .
an' *pogue ma'hôn,* Maloney?
Cut me up — it's Greek to me.
Hey! ger'roff you bog Irish —
haven't a clue what you wish.
What's *englyn* when it's English?

I really like Mydroilyn,
yet, my word — what does it mean?
The sky's full of flying phlegms
when I lis'n to your placenames,
you ad-libber — it's gibberish
and you' face is a gold fish . . .
What's *englyn* when it's English?

Hey, Paki — I'm 'bit peckish!
O, sod it — explain this dish . . .
excuse — what's this poxy *quiche*?
I feel the menu's foolish:
I no find no chips no fish,
in Paris I will perish.
What's *englyn* when it's English?

I'm sick of *comme çi, comme ça*
an' I'm sick of *moussaka*;
I long for just one language,
one state, one world and one stage.
We're a'right, 'cos we're British,
'cos we all can speak so swish.
What's *englyn* when it's English?'

Myrddin ap Dafydd

98

Gwrthod gwahoddiad

i chwarae rygbi.

Aeth pennau gliniau yn glec,
y dwylo'n ddwylo Dalec;
aeth y llinell ymhellach
a'r bŵts yn rhai ara' bach.
Ar ôl brwydr, yn sbwriel brau
y noswyliwn; aeth Suliau
wedi'r bêl hir a'i ia-hŵ
yn Suliau angen sylw.

Ni fedraf ond rhyw fwydro
am hen gais — cais yn y co' —
wedi dal caletach dwrn
na swadan ar bnawn Sadwrn.

Myrddin ap Dafydd

Radio Cymru yn y car

O Lanrwst i Lanrhystud
Nefyn, Rhos, Torfaen a Rhyd,
tros Fawddach, Desach neu Daf,
ar rwndïwyr 'gwrandawaf.

Hanner gair, yna rhyw gân
wna i fywyd fynd yn fuan
ar lôn wael drwy Lanelwy
neu drwy giw oes Rhaeadr Gwy.

A phan, wrth agor ffenest
rhag jangyls a jingyls — jest
i dynnu gwynt — dyna gân
ag atgo' lond y gytgan;
melodedd sy'n ymledu,
daw ffair ddoe lond y ffordd ddu,
mae'r llyw'n un miri llawen
a'r alaw'n un â'r lein wen
a phedwar teiar cytûn
yn moli rhyw wallt melyn;
mae blas chwerthin eithinog
ar y gân — a chlychau'r gog —
a'i blas hi yn ei blows haf
yn taenu'i phleth otanaf . . .

Yna, risepshon conci:

SGRWNSH-CRAC-LLYCH . . .
SGRENSH-CRAWC-A-LLIIIII . . .
Daw gwich lle bu radio gynt,
duwch lle bu deheuwynt.

Ar 'yn hyd, ffidlan â'r nob
yr wyf-nawr, altro'r prifnob,
ceisio dewino deunob
yna'n ôl at 'run un nob;
troi'n wyllt rhag ffalseto'r nob,
eto'n tiwnio'r putein-nob;
'mond ymlid a newid nob
yw'r siwrnai (lôn brysurnob)
ond mae'r effn V.H.F.nob
yn farw lwmp. (Fi yw'r lob.)

Ofer yw'r holl wifrau hyn
a neb yn cael o'r nobyn
ond glaw, heb ust i glywed
yr alaw wen sydd ar led.

Myrddin ap Dafydd

Daw Helynt gyda Stellas

ALC 52.2% VOL

Yn Leuven, Stella yfwyd . . .

Neithiwr, mewn bar annethol,
ni welai rai wawr ar ôl;
llawer cratsh o'r lli aur cry'
lifeiriai heb ail fory
ac roedd pob corsiog ar ras
i'w dal-hi ar y Stellas.

Er ei bris, drwy'i bŵer o
rhagorol ydi'r gwario;
hwn golbiwr pob gwehilbeint,
Alcapôn yw clec y peint
a dau neu dri dyn o dras
'ddistoliwyd gan ordd Stellas.

Un boi 'gysgai ar jiwc-bocs,
yn odli drwy ei seidlocs
a swp oedd o'i gwmpas o:
roeddynt wedi'u lag'reiddio,
yn llwch, rŵd, yn llech a chras,
yn dail, dan nerth y Stellas.

Ar ôl y traflyncu triw,
mae heddwch yma heddiw:
wynebau a gweddau gwyn
a breuder bore wedyn
a myrdd wedi cwympo mâs
ers talwm efo'r Stellas.

Rhai'n dinfain a rhai'n crynu
mewn stad dim-syniad-be-sy',
rhai'n llwyd ar ôl oriau'n llon,
rhai wedi gweld ysbrydion,
rhai'n hurt a gwan, rhai'n reit gas
wedi helynt y Stellas.

Yn Leuven, Stella yfwyd:
roedd inni'n fàth, roedd yn fwyd;
yn y nos, âi *dix* neu *onze*
yn groeso hyd at *groissants*,
yn hal-el-iws, ŵ-là-làs
gyda steil — gyda Stellas.

Myrddin ap Dafydd

Bwncath

Mi welwn un o 'mlaen i
  yn y car, tros aceri'n
chwarae'r aer, yn cylchu'r rhiw
  a throelli'n ara' a thrilliw;
    mi'i gwelwn o efo'i iâr
    yn do eang uwch daear.
    Yna'n boeriad un bore,
    un naid a roddodd o'i ne'
    ac o ben derwen y daeth
    i gloi efydd am sglyfaeth.

Yno o flaen fy olwynion,
  chwyrlïo'i hun o ochr y lôn
a wnaeth; rhoi slash a thro slant
  yn feddw ar ei feddiant
    a bwrw'i hun ar sbeiral
i'r chwith, a'i urddas ar chwâl.
Cheyenne oedd ar seshwn wyllt
  a'i echelydd yn chwilwyllt.

Heb fedru'i fethu, fe aeth
  y bonet i'r hen bennaeth.

Brêciais, neidiais a throi'n ôl
  yn oer, gan ofni'r farwol.
Yna'i weld yn woblo'n wan
  a blerwch ei blu arian
yn rhoi dwy neu dair wôr-dàns,
  yn ail gael hyd i'w falans,
    unioni ei adenydd
  a dringo i do glas y dydd.

Myrddin ap Dafydd

Yr 'Hawks'

Ar gyfer Gwersyll Heddwch y Fali, Mehefin 1996. Codwyd y maes awyr sy'n hyfforddi peilotiaid Indonesia ar ben Llyn Cerrig Bach.

O Lyn Cerrig i Grigyll
mae adar yn gwatwar gwyll
a'u crio nhw yn creu nos,
eu haearnau'n un hirnos
trwy'r byd oer, tra bo eu dur
yn rhuo lond yr awyr.

Wedi'r tywallt o'r tywyn
raeadrau llafnau i'r llyn,
suddo ym mawn corsydd Môn
a wnaeth oes y caethweision;
o danodd aeth cadwyni
a llyfn oedd wyneb y lli.

Ond i'w dinistr, adenydd
yn ôl a ddaeth, daeth ail-ddydd
i'r hen deyrn; i heyrn o hyd,
i fwyeill, mae ail fywyd
ac o laid y gwaelodion
yr ehed y gri hir hon.

Myrddin ap Dafydd

Y Trydydd Byd

Cawn eu reis at ein heisiau,
cawn ŷd, cawn eu mêl a'u cnau,
cawn eu ffrwythau gorau i gyd,
hufen eu daear hefyd;
ni, lydan ein waledi —
byd noeth sy'n ein bwydo ni.

Gwelwn eu plant yn swnian,
y bol gwag a'r ymbil gwan
isio byw ar fymryn sbâr
a gwelwn lygaid galar
a thrwy logau banciau byd,
gwelwn holl aur eu golud.

Rhown geiniog prynu gwenith
i'w gwlad, powlenaid o'n gwlith,
a hwdwch, sachau llwch llaeth
a gwên hael yn gynhaliaeth;
ni, lawn o bob haelioni —
byd noeth sy'n ein bwydo ni.

Myrddin ap Dafydd

I'r dyn o fardd . . .

O! frawd, rwyt mewn breuddwyd frau
   yn ymhél â'r cymylau;
   aeth dy realaeth yn rhith
   o adrodd hud a lledrith.

Rhywsut, ni weli'r brasys,
   c'wiro hem na smwddio crys,
   ni theimli her y blerwch,
   ni weli'r llestri na'r llwch,
ni weli werth gwneud y gwlâu;
   eraill sy'n golchi'r lloriau.

Ond gwelaf ôl caboli
   yn dwt ar d'englynion di;
ôl gloywi'n hiaith, ôl glanhau,
   ôl sgwrio ar lais geiriau.

Adref mae llestri'r dadrith
yn llwyd wedi'th freuddwyd frith.

Nia Owain Huws

108

Na'd fi'n angof

Mae ei ôl yma o hyd
yn y gweiriau a'r gweryd,
yn y grug a phwrs 'bugail,
berw'r dŵr ac asbri'r dail;
ei wên ym mlodau'r menyn
a'i gerdd yn y tormaen gwyn.

Ei winc 'gaf mewn pabi coch
a'i osgo yn y goesgoch.
Ym mhob lelog, pob clogwyn
maith o lus, pob math o lwyn,
ym mhob deilen, pob ennyd,
y mae o yma o hyd.

Nia Owain Huws

Brain

Pan briododd fy nhaid a fy nain yng Ngardd-llygaid-y-dydd, Nanmor, yn 1916 daeth haid o frain i nythu yng nghoed derw tal y Parc Bach yno. Gwrthododd Nain ganiatáu torri'r coed rhag i'r brain fynd oddi yno gan y credai fod eu dyfod yn nodi lwc dda i deulu'r Ardd. Buont yno hyd 1975. Hedasant ymaith bythefnos union cyn i 'nhaid gael strôc a marw o'i herwydd.

Ar ddiwrnod o briodas
yn yr Ardd, ar ddydd o ras,
a nain mewn gwyn i'w huno
â 'nhaid a'i het sidan o,
daeth brain ar ymdaith heb rodd
yn giwed heb eu gwahodd,
dod yn dres i fusnesu
yn rhyfyg mewn diwyg du.

Ond ar dderw, ynghyd â'r ddau,
nythu a wnaethant hwythau
yn llawn clebran am wanwyn
â'u llygaid ar weiniaid ŵyn,
ac aredig ar adain
erwau fil yr awyr fain,
i aros am droi'r gweryd
yn fôr o gynhaeaf ŷd.

Cyd-fod, cyd-fyw, cydfedi
wnaed â'r brain, hen adar bri
o'r cynfyd, yno'n gludwyr
lwc dda rhag chwalfa a chur;
hen frain, a gysgodai'r fro
er crased crawc eu croeso,
yn giwed heb eu gwahardd,
hael eu rhodd i deulu'r Ardd.

Nia Powell

I Nefina Parri

I ddiolch am yr holl de a danteithion a fwytawyd gan dîm Deudraeth
wrth baratoi ar gyfer Talwrn y Beirdd.

Nid i wau ein hodlau ni
yr awn i wres Caereuni,
nac am gân na chynghanedd,
ond i glamp o ffîd a gwledd,
cans o gegin Nefina
daw o hyd ryw seigiau da.

Un nos oer, wele stwnsh swej
a saws am ben dwy sosej,
i weithgor clêr da gythgam
ei dawn i wneud brechdan ham,
a'i chacen wedi'i chwcio
at yr awr yn wych bob tro,
cythra Cynan amdanynt
ond Nia gyrhaedda'n gynt,
ac Edgar hygar ei hun,
yntau a gwyd o'i gyntun
i roi dant trwy'r bara da
a weinir gan Nefina, —
bwyta'i byns heb ateb un
her fawr gan Gerry Feuryn;
ac i raid y goreudim
diod rew o'r Sodastream,
neu'i the hi sy'n boeth o hyd
yn llifo'n ddiball hefyd.

Nid gweniaith yw'r araith hon
i Nefina, rwyf union.
Hi yw'r wên yng Nghaereuni,
a hi yw nawdd ein cerdd ni.

Nia Powell

111

Dychwelyd

Awr o haul a olchai'r ardd
yn diwel gwres diwahardd,
a do! roedd wedi dianc
am brynhawn, ac yn llawn llanc,
ymhell o'i warchod bellach
heriai'r byd â'i gamre bach,
a chamu mewn dychymyg
yn gawr ac yn frenin gwig.

Ond yno dan gysgod gwŷdd
roedd i hwn fro ddihenydd,
gwelai fyddin y gelyn
fel rhes hir o filwyr syn
yn dod mewn ymosodiad —
diben pob coeden oedd cad,
ond trech ydoedd ef bob tro
yn ei rodres o frwydro,
yn ŵr diofn i'r diwedd
â'i law am frigyn o gledd.

Ac yna, daeth gwraig weini;
'*Come on,* taid. *Come in to tea!*'

Nia Powell

Digonedd

Er cof am Thomas Evans, Dinas Ddu, Nanmor. Gofynnodd rhyw ymwelydd i'r hen amaethwr ai prinder arian oedd yn ei rwystro rhag mynd ar ei wyliau. Atebodd yntau yn Saesneg, 'I have plenty, but my plenty is very little'.

Min nos oedd, min nos o haf
a'r haul mewn gwewyr olaf,
tomen lechfaen yn taenu
cysgod glas tros Ddinas Ddu,
a dau ŵr wedi aros
ger y wal ar gwr y rhos.

Brain y coed a brwynog gae
a welai'r un ar wyliau,
dyrnaid o ddefaid arno,
un bustach llegach a llo,
a'i gar yn sgleinio'n arian
gan regi hen feini'r fan.

A'r llall, yr hen wladwr llwyd,
a welai ger ei aelwyd
gae ŷd i'w unig eidion
a gwair rhos yn un das gron,
ei erw glai yn ddaear gwledd,
a'i gyni yn ddigonedd.

Nia Powell

Darlun

*I gofio Rhian Pugh Davies o fferm y Gwynfryn, Llanystumdwy, a fu farw ar Orffennaf 6ed, 1995
yn 37 mlwydd oed. Hi a fagodd y gath yn y llun, a'i rhoi i Elen, fy merch.*

Lliwiau haf oedd yn y llun
   a haul yn orlif melyn,
a chath mewn casul duliw
yno'n lleidr yn dwyn y lliw,
fel y daeth rhyw ddiafol du
   gyda'i gysgod, a gwasgu
haf o lwyn, a dwyn ei dân,
   yr ha' nas gwelodd Rhian,
dwyn heb raid, dwyn direidi
a dwyn ei haul a'i dawn hi.
Hawliodd y du y melyn
a'i goegni sy'n llenwi'r llun.

Nia Powell

114

I Mel W. Jones

Arbenigwr esgyrn yn Ysbyty Gwynedd

I Wynedd daeth pen meddyg,
gŵr â'i wraidd ym mro y grug.
Un â llaw sydd yn cawio
asgwrn wrth asgwrn yw o,
llaw ysgafn gwella esgyrn
fu ar chwâl tan friwiau chwyrn,
llaw'n cryfhau cymalau cam
a'u hunioni yn ddinam
gan dawelu gwŷn dolur
ac arbed caethiwed cur;
llaw sy'n cymell i wella
ydyw un y meddyg da.

Un min nos, minnau'n isel,
ofnau'n gymylau'n ymhél,
a'r poen yn gorfodi'r pen
i anobaith di-ddiben,
llithrwn i ryw Annwn rhwydd
o swcro'r holl ansicrwydd.
I'r ward daeth â'i eglurhad
i ymliw pob drwgdeimlad,
a dod ar awr heb fod raid —
hwy'i awr yw na'i gymheiriaid,
ei eiriau'n fy lliniaru
a'm hadfer o'r dyfnder du.

Maeddu cur trwy egluro
yw ei nod, trafod bob tro
â'r claf, gan goncro clefyd
a herio cŵyn ar y cyd,
rhannu nid cadw cyfrinach
yw dawn hwn i'n gwneud yn iach,
a champ ei holl ymdrech ef
yw diweddu dioddef.

Nia Powell

Cŵyn amaethwr

(yn nhafodiaith Maldwyn)

Nid wyf ffraeth — wyf amaethwr;
distaw wyf, di-gadw-stŵr;
un ag ôl iaith cefen gwlēd
yn ei araf ystyried.

Porthi ydyw fy mywyd
a byw wyf i borthi'r byd,
ond mae'r byd ym merw bar
a'i filgwn ymrafaelgar
am waed amaethwyr a'u mēth
a bu damio byd am'ēth.

Yn grwndeip, nid wyf groendew;
wyf fy hun a f'enw'n fēw,
yn rheg, un o'r bēch eu rhif;
wyf lofrudd; wyf leiafrif;
yn is-ŵr, yr un di-sedd,
yn blagiwr amhoblogēdd.

Digyfnewid yw brid bro,
brid distaw dibrotestio;
wyf gawr o oddefgarwch,
y cawr na fynn siglo'r cwch,
ond daw pall ar fy ngallu
i guddio rhag llarpio'r llu.

Gwêl angladd pob cyfaddawd,
sgwennu barn a sugno bawd,
dyma fedd amynedd mwy:
nawr wyf arth, wyf rhyferthwy.

Fy enw a ddifwynwyd
gan fois â digon o fwyd,
y dyrnaid sur diwrnod sêl,
naïfwyr un anifēl,
llewygwyr di-ddant-llygad,
heuwyr ffē, dilynwyr ffad,
castiog wŷr, maniacs di-gig,
treiswyr, lloiarwyr, lloerig,
crancwyr rhonc, sicr yn eu cred
yn nefoli 'nifeiliēd.

Yn wŷr anymarferol,
a'u bryd yw — byw ar y dôl;
ffug ddynion, ceimion eu cyrff,
heglog, brigog eu breugyrff,
angall, dall i'n diwylliant
milwriaethus, plagus — PLANT!

A lodes ddigaledwaith
yn dadlē, 'Angē dy waith',
hoeden blaen â'i gwēllt yn bleth
a'i byd ond anwybod'ēth.

A fynn barch o fewn eu byd
a fynn hunllef newynllyd.

Wyf geidwad fy niadell,
yn llawen a'r bore'n bell
a dedwydd wyf doed a ddêl;
er bygwth pobl dre', bugēl
dē wyf, er y byd a'i stŵr
rwyf am waith, rwyf amaethwr.

Tegwyn Pughe Jones

I ysgrifennydd gwladol Cymru

Pa wlad, a pha ŵr pleidiol
i'w wlad all dderbyn y lol
o estyn Northyn i ni?
o roi Wil i'n rheoli
yn gyffro diamgyffred?
Ei roi, heb deimlo'r sarhad
o roi Sais, (Efrogwr syn
â sêl rhyw sychfoesolyn)
i ormesu'r Gymru ddi-gof,
sangu ar leisiau angof
gwehelyth; gŵr heb galon.
Mor hesb ydi'r Gymru hon,
yn wlad i brentis gwleidydd,
ei lordio hi lawer dydd.

Ai Hague yw'r gŵr darogan?
'Hague yw gwaredwr y gwan —
mae'n wlatgar,' medd llefarwr.
Mwll ydym oll: dyma ŵr
y rhwydwaith, rhyw ail Redwood
a'i gaill heb gyrraedd ei gŵd;
yng Ngwesty Cymru rhoi cog —
hoeden mewn swydd gweinidog;
Hwrê-Henri yw'r anrheg;
lama hyll — un William Hague;
bôr hybarch wyneb rwber;
pwdyl noeth — y pidlen iêr!

Cyfyng yw iaith slic fy ngherdd —
lol dihangol, di-angerdd;
mydru di-ddim dewr di-ddwrn;
rhyw esgus brathu'r asgwrn
heb unwaith wir ymboeni
ai rhydd yw fy Nghymru i,
canys siec â'i enw sydd
yn hosan pob dinesydd;
wyf ffermwr i'r wladwriaeth
a'r dewr ŵr sy'n talu'r dreth.

Ymateb ystradebol
eiddom oll, heb ddim o'i ôl
yn ein mêr ni, ac ni wnawn,
er cofio'n dicter cyfiawn,
ragor na'i led ddilorni:
testun hwyl yw'n protest ni.

Tegwyn Pughe Jones

Plannu coed

Bore oer. Ar fy ngwar brau
rhois y gaib a'r ysgubau,
sadio'r ffaglen, straffaglu
fyny'r gefnen, talcen tŷ
eithinog, rhedynog; daw'r
tyno drwy rewynt Ionawr
yn araf nes; cynhesaf
er y rhew; ymlaen yr af.

Bwrw tâl y gaib i'r tir
hyd ei hanner, didonni'r
dywarchen gyda'r wengaib
(barugog yw), bwrw'r gaib
i'r gleien noeth, rhuglo'n ôl
ei llawn o'r rhuddfaw'n reddfol
Melin yw fy mywoliaeth
ceibiad ar ôl ceibiad caeth,
rhofio baw, prin grafu byw,
Sadwrn hirddiflas ydyw.

Adre'r wyf yn plannu drain
yn nhiroedd gwynt y dwyrain
a'r hengwm â gwawr gringoch
drosto. Clatsio, sŵn fel cloch —
darn o haearn, hen gaib yw;
diwydwaith hendaid ydyw
a'i aberth ble bu'n ceibio.
Hyn o gaib sy'n dwyn i go'
difrodi'r gelli fu gynt
yn wyneb y dwyreinwynt,
y gelli lle bu'r gwylliaid
yn yr hwyr yn dwyn o raid.

Ias oer yn yr hengwm sydd,
oer y gwywo tragywydd;
hen lais yw yn ôl y sôn,
a'r rhedyn llawn sibrydion
o'r oergwm i'r awyrgylch.
Plannu'r coed, cyfannu'r cylch,
ailgodi gelli'r gwylliaid,
plannu lle bu teulu Taid
yn creu tân i lowcio'r tw',
yn cytiro'r coed derw.

O'r twr, rwy'n cymryd derwen
a'i rhoi hi i'r ddaear hen,
ar y Foel rhoi criafolen
i'w thrig drwy'r cerrig a'r cen
ac onnen drwy glai'r gweiniwn,
rhoi'r goes gaib er gwasgu hwn
yn dorch amdani, sad yw,
coeden fel glaslanc ydyw —
croen ir, canghennau hirgoes
a brig talsyth bore oes.

O ddiwydwaith breuddwydio
a cheibio'r hwyr, harddwch bro
'ddaw'n anochel, a gwelwn
eto wrysg ar y tir hwn.
Yn ddiau rhyw ddau a ddaw
un Awst i'r hengwm distaw;
hen ŵr ddwed am y derw,
'Taid fy nhaid a'u plannodd nhw.'

Tegwyn Pughe Jones

Cywydd coffa Robert John, Cerddin

Tenau, brau yw sieting bro
yn nyddiau ein dadwreiddio,
ond gall plethen un pren praff
a gŵr hirgrefft greu'r argraff
o ddiwylliant gwyrdd holliach,
o wead tynn tyfiant iach.

Y diseibiant gwallt sibwn,
carwr hwyl â'r wyneb crwn,
gŵr rhadlon, calon y cwm,
y pwtyn â phob bytwm
yn dynn dan bwysau'r cnawd iach;
boi hastus, cryf fel bustach.

Gallai hwn â'i Ffergi llwyd
hwylio'r llethr serthaf welwyd,
dewryn oedd a di-droi'n-ôl,
llond buarth o arth nerthol,
cawr Dinas, fel pren masarn —
tros ein bro, Cymro i'r carn.

Ond eleni, dilanw
y dail ar bren prin ei dw',
ias y cancr sy'n y gwrysg hyn:
mae wylo'n y dail melyn.
Heb lanw'r brigau blaenaf,
ni ddeil hyd ddiwedd haf.

Nid y dyn yr adwaenwn
oedd o, nid R.J. oedd hwn
yn ei fyd rhynllyd croenllac,
llwydwyll oedd mewn dillad llac;
cawr bach wedi crebachu'n
ddyn crin, lle bu rhuddin cry'.

Er ei ran, yr un yw'r wên
o'i dawelwch diheulwen,
er mor erwin y driniaeth
o'i dŷ i'n croesawu y daeth;
er ei boen difarbiau oedd,
o raid bonheddwr ydoedd.

O fylchu'r clawdd ym Mawddwy
mae iaith yn ddigysgod mwy,
ffyn brau sy'n amddiffyn bro
a'r ynn sydd yn ymgreinio
i drywanu'r dwyreinwynt
lle bu Cerddin gerwin gynt.

Tori i'w frig, triw i'w fro
a'i ruddin yn drwch drwyddo;
diymffrost ei waith drosti;
yn ei ddydd, gwarchododd hi
yn erwau'r mân bwyllgorau
a rhoi o'i fodd i'w chryfhau.

Heddiw, di-liw yw'r wlad lom
o wanu un ohonom;
rhoddodd oes i'w harddu hi —
heno, mae'n rhan ohoni
a'i fedd ym mhridd ei Fawddwy,
a'i holl ddawn yn ei mawn mwy.

Mae eiddew stingoedd Mawddwy'n
brigo'r man ble bu'r gŵr mwyn
yn cynnal ffin; brenhinbren,
penteulu, a wybu hen
goelion gwlad. Tan glo'n ei glai
mae'r nodd, mae'r hyn a wyddai.

Hyn ddysgaist, hyn geraist gynt
ddaeth o'th wreiddiau, a thrwyddynt
daw'r lle'n fyw, daw adfywiad,
daw tw' bro, daw it barhad
cans plant dy blant yn dy blwy'
yw'r hadau sy'n cau'r adwy.

Tegwyn Pughe Jones

Celtiaid

Arddangosfa Celtica

Ar odre'r dre' fe gawn drem
heddiw ar y bobl oeddem,
yn nhir hud fe gawn rodio
llwybrau coll boreau'r co';
awn at Lleu, cwyd tylluan
o'n tarddle, lle nad oedd llan,
hoglau mwg, a golau mellt
yn gleisiau hyd y glaswellt,
llun Mercher ar frig derwen
a dwrn cawr fel darnau cen
am ei bôn, gwaywffon gain
yw'r colyn yng ngwar celain,
gwên heliwr, gwraig yn wylo
yn y coed, dyma yw'r co'.

Yn y byd, ble bynnag bôm
mae hwn yn glymau ynom,
er gwanhau'n gwreiddiau â grym
diwydiant, Celtiaid ydym.

Tegwyn Pughe Jones

Y blewyn gwyn

Myfyrdod wrth gyrraedd y '30', a'r wraig yn darganfod
bod gwallt fy mhen yn dechrau gwynnu!

Mae pob un sy'n hŷn na ni
erioed yn henoed inni,
ac yn awr i'r egin iau
henoed yn wir ŷm ninnau.
Iddynt hwy, nid ŷm mwyach
wedi bod yn hadau bach,
ac aeth ein cenhedlaeth ni
yn rhy hen, yn rhieni!
Y rhai sydd â'u hoes ar ôl,
o bawb, yn troi'n hen bobol.

Un blewyn gwyn, dyna i gyd
a welodd fy anwylyd.
Hi sylwodd ar fy salwch
o draw rhwng y du yn drwch.

Un blewyn gwyn, dyna i gyd;
roedd y siom mor ddisymud,
yn gân o wawd ac yn haint,
a hyn, imi, oedd henaint.

Un blewyn gwyn, dyna i gyd
fu iau mwyaf fy mywyd,
bydd un yn ddau a'r ddau'n ddeg,
a channoedd, ac ychwaneg
ar ras, a chyn fawr o dro
y bradwyr fydd yn bridio!
Bydd mwy a mwy yn y man
yn greisis hwnt i'r Grecian.

Daeth amser i bryderu
gan na ddaw y gwyn yn ddu
fel y'm ganed, ond wedyn
ai drwg i gyd ydyw'r gwyn?
A oes ots pa liwiau sydd
ym mhinacl yr ymennydd?

Yn fy henaint rwyf innau
eto'n un â'r crwtyn iau.
I ieuengoed henoed wyf,
ac i 'nhad bachgen ydwyf.

Tudur Dylan Jones

"Nos Da"

Gwennan Haf

Merch fy nghyfnither Non, a'i gŵr, Steve.
Dioddefodd yn ddewr, a bu farw yn 5 oed.

Ddoe'n ôl, ein llawenydd ni
oedd y gân ddydd ei geni,
ac yn ei haul, Gwennan Haf
ddaeth â'r llawenydd eithaf;
dod â'i gwên i'n byd i gyd,
a Haf trwy'r flwyddyn hefyd.

Ni bu trysor rhagorach,
na gwên fwy na Gwennan fach.
Â'i thegwch cyfoethogodd
bob ennyd o'n byd o'i bodd;
rhannu wrth wenu wnâi hi
a'n cynnal yn ein cyni.

Yr oedd hi trwy'r awr dduaf
yn llawen fel heulwen haf,
ac yn awr mynegwn ni
heddiw ein diolch iddi
am roi gwefr ym miri'i gwedd,
am lenwi ein pum mlynedd.

Gwyddom trwy eiriau'n gweddi
mai'n y Tad mae'i henaid hi,
ond ni all hyn wneud yn llai
y galar a'n disgwyliai,
na chwaith y tristwch eitha':
Non a Steve yn dweud 'Nos da'.

Tudur Dylan Jones

Telyn

Yn yr hen oes fodern hon,
dydd y newydd ganeuon,
dod â'r dôn yn drydanol
wna'r electrig rigmarôl.
Ond er gwell, mae ambell un
yn dal i ganu'r delyn.

Ac os na chlywi 'run gair
o awen yng nghyniwair
yr alaw, gwranda'r eilwaith,
ac fe glywi di dy iaith
yn ddirgel yn y delyn,
a'r tannau'n eiriau bob un.

Â dwy law'n creu'i halawon,
dawn dweud ydyw nodau hon,
ac er gwell, mae ambell un
yn dal i ganu'r delyn,
a rhai o hyd yn parhau
i diwnio rhes o dannau.

Tudur Dylan Jones

Y ffawdheglwr

Un yn ceisio bodio byw
ar stryd o rwystrau ydyw,
ond ar y ffordd ceidw'r ffydd
am mai draw y mae'i drywydd,
ac â'i gyfarch mae'r gofyn
yma'n daer am ddim ond un
gyrrwr i ddod i'w gario
at gyrchfan ei hafan o.
Dal y bawd i alw'i bàs,
mynnu ond un gymwynas.

Er hyn, o draw, nid yw'r waedd
at un car eto'n cyrraedd.
Bawd 'rôl bawd o gerbydau
heddiw'n un ciw yn nacáu,
tramwy heb edrych ddwywaith,
heibio'n dorf at ben y daith.
Ceir ar ras heb wrando cri,
un rhes hir o'r gair 'sori'.
Dynion yn gweld ei wyneb
ond rhywfodd ni welodd neb
ei siom nad oedd yn symud
o'i stondin ar bafin byd.

Wrth yrru, felly rwyf fi,
gadael heb neb i'th godi.
Wyf euog, wyf ddiog ddall
yn tyrru i'r tu arall,
heb gysur na thosturi,
heb weld ôl dy ymbil di,
na'r dyheu am yrrwr da,
am yrrwr o Samaria.

Tudur Dylan Jones

Nadolig y stryd fawr

Â'r stryd yn rhes o drydan,
yn llawn gŵyl, a'r lliwiau'n gân,
fe ddown ni â'r babi bach
a'i feddwi'n y gyfeddach;
dod ag Ef i fyd y gwin,
i nefoedd anghynefin.

Ninnau mwy yn ddoethion mân
yn rhodio at seren drydan,
awn â'r Tad i farchnadoedd
ein gŵyl, a'i watwar ar goedd;
dod â'r Nef i'n daear ni,
at aur sydd ar gownteri.

Ready made yw'r stryd i mi,
stryd gyfiawn, lawn eleni
draw i'r to ydyw'r stryd hon
o drimins wedi'u rhwymo'n
y wal, ac am nôl eilwaith
i'r un fan am ryw gan gwaith!

Dod a wnaf â'm cerdyn i
i ganol ffair y geni.
Hwn yw'r un heddiw a red
yn filoedd o fy waled,
ond er gofynion Ionawr,
plastig yw 'Nolig i nawr.

Sŵn clychau o diliau'n dod,
sŵn arian, a sŵn Herod
yn iach ei barch uwch y byd;
a minnau yma am ennyd
yn un â'r nos, un â'r neb
sy' rhy brysur i breseb.

Ym mwynhad y dathliadau,
yng nghellwair ffair, nid coffáu
a wnawn ni ei eni O,
ni allwn ni mo'i dwyllo:
gŵyr yr Iôr nad credo'r crud
yw credo'r cardiau credyd.

Tudur Dylan Jones

Dyffryn Camwy, Patagonia

Â darn o Gymru arni
roedd un llong â'i bwrdd yn lli
yn nŵr y bae, a gwawr bell,
a Chamwy yn ei chymell,
ei dwyn hyd doriad y dydd
a'i dwyn hi i'r byd newydd.

Ond yn esgor y bore
doedd ond paith diffaith y de
i'w weled fel anialwch,
a'u holl wefr yn ddim ond llwch.
O'r wlad fach i'r wladfa hon
ac i baith eu gobeithion.

Boed i hon, afon fy iaith,
hawlio ei chwrs yr eilwaith.
Boed i'r afon hon o hyd
lifo'n ddiatal hefyd
bob cam i Ddyffryn Camwy
â'i dyfrhad i'w fory hwy.

Tudur Dylan Jones

I Ifan Gwyn

Mae'n Fai arnom ni i fod,
yn eithin, ac yn nythod,
yn ddail derw, yn erw irwair,
yn stŵr gwynt cynnes drwy'r gwair.
Ond rhyw sŵn cwteri sydd,
llond awyr Llŷn o dywydd,
a daw'r gwynt a'r derw i go',
sŵn y derw'n ymdaro . . .
Nid wyf yn honni y daeth
yn niwl ar y ddynoliaeth.
Dweud yr wyf fod glan Dwyfor
o Lyn Meirch i lan y môr
yn wlad o fewn gwlad, bod glan
Dwyfor yn wlad i Ifan,
a bod glan Dwyfor â bedd
arall, a Mai'n oferedd . . .

Yn Llydaw, a'r holl wledydd — bychain bach,
yn bell ym Meirionnydd,
mae'n Fai. Ond yma ni fydd:
Ifan Tŷ'n Llan sy'n llonydd.

Twm Morys

137

Cegin

Golau oer, a lliain glân,
a'r cyllyll a'r ffyrc allan,
rhyw felly a felly, fel
crair godidoca'r oriel.
Rwy'n hwyr, rwy'n hwyr ar y naw.
Eistedd, medd hithau'n ddistaw.
Rwy'n eistedd . . . Cheith y weddi
mo'i dweud, ond dyma 'mwyd i
yr un fath. Ac er na fydd
i'm lluniaeth ddim llawenydd,
gwn fod ein defod ni'n dau
heno drwy'r holl geginau,
yn lle bloedd y tecell blin
ac ager lond y gegin.

Twm Morys

138

I Elen Fflur yn 2 oed

At lannau Taf o'm stafell
i ferch fwyn, cyfarchaf well.
Elen Fflur, merch brysur braf
yw y ferch a gyfarchaf.
Mae i Dachwedd ei wledd o liw
yn nhyddyn Elen heddiw.

Neithiwr cysgu'n un a wnest
yn llawen yng ngwâl Lluest;
yn un ddoe, heddiw'n ddwyoed:
dyna'r modd dyblodd dy oed
yn burion heddiw'r bore;
ladi lân! hawlia dy le.

Wyt y fechan i'w hannerch,
pen-blwydd hapus fentrus ferch!
Wyt dawel awel, wyt hedd,
wyt uchel drwst mis Tachwedd!
wyt ddawnus iawn, wyt ddoniol,
weithiau'n ddi-wardd, weithiau'n ddol.

Wyt ddi-ball heddiw'n d'allu,
wyt yn graff ac wyt yn gry'.
Wyt ryfedd wrth it rifo:
"Na . . . w- wy'- tri, sdim dal bob tro!
Wyt ddawn yn ienctid dy ddydd
i grynhoi'r geiriau newydd.

Haden wyt, mwyn dy natur
wyt fflach yr aelwyd, wyt Fflur:
wyt wên a phefren y ffest,
wyt y lliw ar lawnt Lluest:
wyt gennad chwarddiad a chân,
wyt chwa'r haf, wyt chwaer Ifan.

Wyn Owens

I Owain Alun yn 2 oed

Difiau Awst dwyflwydd dy fod,
heddiw dwyflwydd dy daflod.
Dwyflwydd oed dy floeddiadau,
rhwydd ddwyflwydd dy ufuddhau.
Dwyflwydd oed yn dy droedio,
rhwydd dy gam, dwyflwydd dy go'.
Diofal ddydd dwyflwydd oed,
eofndra dy ysgafndroed.
Dwyflwydd oed y coed a'r cwm
mewn cadair ac mewn codwm!

Boed i'th ddwyflwydd pob llwyddiant
a phen-blwydd fo'n ffynnu o blant
a'r teulu hwn ry' iti le
yn nwyflwydd dy gartrefle.

Wyn Owens

I Phil yn 40 oed

Ionawr oer! Chwythed drwy'r fro
sŵn dy wynt cas i'n danto.
Nid rhy lawog miniog main
na drwg 'rwythfed ar hugain.
Mae'n hirlwm ond mae'n arlwy'n
Llys-y-gwynt, drwy'r gwynt a'i gŵyn
nawr drwy Ionawr af am drip
yn ddi-ffael i wledd Philip.

Yn Llanwinio'n llwyn Ionawr
deugain oed dy gân yn awr
a gorau cerdd, geiriau cain
ddygwn i lys dy ddeugain.
Yn ein hoes, fe'i clywn o hyd
gan rai'n gwirio bo' bywyd
yn dechrau gyda'r deugain:
heddiw ai triw fo cred rhain?

Wedi'r parti'n Llanwinio
dyddiau di-rif iti fo
'nymuniad i, ond myn diain:
ddoe'n ddiogel, heddiw'n ddeugain!
Yr wyt sant diffuant Phil;
i anghenus, anghynnil
dy gymwynas, ti'r gwas gwiw
lawn haedda'r hwyl hwn heddiw.

Wyn Owens

Urdd Gobaith Cymru

I'n gwlad wyt un alwad werdd,
wyt yngan to a'i angerdd;
i gyd-ddyn yr un dy ran —
cyfaill o waed coch cyfan;
i Grist a thros gario'r groes
ac o'i gofio wyt gyfoes:
wyt drilliw 'Nghymru'n trallod;
wyt yn wyn a Christ yn nod.
Wyt oriau gaeafau'r gân
a'r haf ym Mhentre Ifan.
Wyt ran Glan-llyn, Llangrannog,
wyt feistir yn Nhir-na-nOg
a theulu sy'n fytholwyrdd
yn y tir hwn. Ti yw'r Urdd.

Wyn Owens

Y gyfrol gyntaf:

Pris: £4.95